OTHER BOOKS OF LEARN FRENCH AT HOME

—**English-French Glossary about the UN, NGOs and the New Challenges of Today's World.** 13,000 Words and Expressions, Including Those That Marked 2020. Paperback and eBook (pdf). 2021.

—**French Grammar and Beyond.** Easy explanations in English of French grammar, with 180 Exercises and Solutions. New edition 2020. Paperback and eBook.

—**Say It with a French Accent.** French Grammar in Context: 40 fill-in scenarios with audio. Paperback and eBook (pdf). 2020.

—**Learning French? How to Make it Happen.** A self-help book that addresses the questions that most people who want to learn French feel the need to ask. With a multitude of tips, tricks and tools. Paperback, Kindle and eBook. 2020.

—**12 Short suspense Stories in French for French Learners: Le bruit des vagues (Nr. 1, 2017); Le pays de l'amour (Nr. 2, 2018); Le trésor (Nr 3, 2019); Le chat qui parle (Nr 4, 2020).** Glossaries, grammar tips, cultural notes, exercises and full audio for each story. Paperback and eBooks with audio links.

—**Traveling in France: Essential Communication for the Smart Tourist.** Easy guide of everyday French expressions and vocabulary indispensable for foreigners travelling in France. Paperback and eBook with audio links. New edition 2020.

—**Learn French with Fun Activities. A Workbook for kids and teenagers, with songs, poems, exercises and games.** Paperback and eBooks with audio links. New edition 2020.

www.learnfrenchathome.com/french-audio-books
All these books are also available on Amazon.

Our Magazine

French Accent Magazine: The unique and **FREE** e-magazine for French learners, with a central theme and articles on politics, culture, grammar, etc.. Scenarios and vocabulary with audio links.

www.learnfrenchathome.com/french-accent-magazine

Paparazzi

Author: Annick Stevenson

Published by: *Learn French at Home*
www.learnfrenchathome.com
Date of Publication: 2021
ISBN: 9798668949663

This book is published in two versions: paperback and eBook (pdf).
With the purchase of the printed version, a free copy of the eBook, **with audio links**, is available.
See page 142 how to access to a free copy of the eBook version.

Paparazzi

12 Short Suspense Stories in French

For French Learners, Nr. 5
(Intermediate and Advanced)

by Annick Stevenson

With Glossaries, Grammar Tips,
Cultural Notes, Exercises
and Full Audio for Each Story

A language is just not words. It's a culture,
a tradition, a unification of a community,
a whole history that created what a community is.
It's all embodied in the language.

*(Une langue ne se limite pas aux mots.
C'est une culture, une tradition, l'unification
d'une communauté, une histoire entière
qui constitue ce qu'est une communauté,
le tout réuni dans une langue.)*

Noam Chomsky

CONTENTS

FOREWORD

THIS BOOK IS THE FIFTH in a series of publications that complement the French lessons by Skype that we have been providing since 2004 to thousands of students through our online French language school: *Learn French at Home* (see page 141).

The first book in this series, *Le bruit des vagues*, was published in 2017. The second, *Le pays de l'amour*, in 2018, the third, *Le trésor*, in 2019, and the fourth, *Le chat qui parle*, in 2020. All the books of this series bring together short suspense stories, with a surprise ending, that are accompanied with detailed glossaries sprinkled throughout the text.

This series has already been a great success with our readers and students, who said they like this approach, and the possibility of both reading and listening to French stories.

Indeed, not only can you read the stories but you can also listen to the entire text in French through the audio links at the beginning of each story (see page 142 on how to access them).

The 12 new stories that you will find in this fifth volume have all been previously published in the *Petites histoires* section in various issues of our magazine *French Accent*. We have added longer glossaries, and a few very useful and easy to understand grammar and vocabulary tips, cultural notes, idiomatic expres-

sions, and questions, in French, about what happens in the stories (with the answers at the end).

Bonne lecture, et bonne écoute !

1. PAPARAZZI

  Listen to the story, and read it out loud:

UN JOUR D'HIVER. Je suis au chaud dans mon appartement parisien quand une amie me téléphone et me dit : "Félicitations !" Je lui demande pourquoi. "Tu n'as pas vu la couverture de *Glamour* ?" Je google et l'ai sous les yeux. C'est moi. À côté de la grande star du jour, G.D., top model et chanteuse connue du monde entier. Nous marchons ensemble dans une rue en souriant, sûres de nous.

Je regarde de plus près. Non, ce n'est pas moi, mais il est vrai que cette femme me ressemble un peu.

Je rappelle mon amie pour lui dire ça. Elle ne me croit pas.

Je suis au chaud = I'm staying warm
couverture = cover; also means "blanket"
Je google = I Google it (see page 19)
sûres de nous = self confident
me ressemble (*ressembler*) un peu = looks a little like me
pour lui dire ça = to tell her that
Elle ne me croit (*croire*) pas = She doesn't believe me

Peu après le téléphone sonne. C'est une personne que je ne connais pas. "Je vous adore, G.D. et vous, et j'aimerais vous rencontrer. Je serais si flattée..." J'interromps brutalement la communication. Instinctivement, je m'approche de la fenêtre.

Je vous adore (*adorer*) = I love you (see page 21)
Je serais (conditional of *être*) si flattée = I'd be so flattered
Je m'approche de (s'*approcher*) = I move towards the window

En bas, dans la rue, devant l'entrée de mon immeuble, je vois un photographe, puis un autre. Je me cache derrière les rideaux. Il y en a peut-être d'autres. Je commence à paniquer.

---

mon immeuble = my apartment block, building
Je me cache (*se cacher*) derrière les rideaux = I hide behind the curtains

---

© Josue Verdejo from Pexels

J'appelle encore mon amie, mais elle ne me croit toujours pas. J'appelle alors Dennis, <u>mon ex</u>. Lui, il me croit.

– <u>Ne bouge pas</u>, je viens te chercher.

Il arrive moins d'une heure plus tard avec un grand sac <u>du-quel</u> il sort un lourd parka avec <u>capuche</u>, des bottes d'homme, des <u>lunettes fumées</u>. Il a même pensé au masque, grand, noir. Je suis <u>méconnaissable</u>.

> <u>mon ex</u> = my ex; like in English it can apply to an ex-spouse or an ex-partner
> <u>Ne bouge</u> (*bouger*) = Don't move
> <u>duquel</u> = from which
> <u>capuche</u> = hood
> <u>lunettes fumées</u> = tinted glasses
> <u>méconnaissable</u> = beyond recognition

– Déconnecte ton <u>portable</u> pour qu'<u>ils ne puissent pas</u> te géolocaliser.

Nous sortons de l'immeuble en marchant à <u>pas rapides</u> vers sa voiture <u>garée</u> juste en face. Dennis parle à voix haute <u>comme si nous étions</u> <u>en pleine</u> conversation.

> <u>portable</u> = mobile phone
> <u>ils ne puissent</u> (subjunctive of *pouvoir*) <u>pas</u> = so that they can't
> <u>pas rapides</u> = quick steps
> <u>garée</u> = parked
> <u>comme si nous étions</u> (imperfect of *être*) = like if we were
> <u>en pleine</u> = right in (the middle of) (see also page 48)

Le subterfuge <u>marche</u>, les paparazzi nous laissent partir sans <u>prêter attention</u> à nous.

<u>À peine arrivée chez lui</u>, <u>je me jette dans ses bras</u>, comme au temps où <u>nous nous aimions</u>. Quel bonheur ! J'avais presque oublié.

<u>marche</u> (*marcher*) = works
<u>prêter attention</u> = to pay attention; *prêter* usually means "to lend"
<u>À peine arrivée chez lui</u> = Barely arrived at his place
<u>je me jette</u> (*se jeter*) <u>dans ses bras</u> = I throw myself into his arms
<u>nous nous aimions</u> (imperfect of *aimer*) = we loved each other (see page 21)

<u>Il me serre fort contre lui</u>. Nous restons un long moment <u>enlacés</u> avant de nous asseoir sur le sofa, devant la <u>cheminée</u>. Je pose ma tête sur ses épaules.

Son téléphone <u>vibre</u>. C'est un <u>sms</u> d'un de ses <u>copains</u>. "Tu as vu la couverture de *Glamour* ?"

<u>Il me serre</u> (*serrer*) <u>fort contre lui</u> = He holds me tight against him
<u>enlacés</u> = holding each other tightly
<u>cheminée</u> = fireplace
<u>vibre</u> (*vibrer*) = vibrates
<u>sms</u> = text message
<u>copains</u> = friends, buddies

--- GRAMMAR TIP---

How the French conjugate English verbs

Over the years, the French have adopted the habit
of using more and more English verbs, and
of conjugating them the French way.
One can see an example on page 15,
and also on page 47, with the verb *googler*:
*Je google, tu googles, il/elle/on google,
nous googlons, vous googlez, ils/elles googlent.*

The same is true with *booster, checker, customiser,
débriefer, downloader, forwarder, networker,
stretcher, uploader...* Even with *liker (a post
on Facebook for example)*.

Many French people use them at work, but not only.
For example *checker* can be used in a store by
salespersons who are checking to see if they have
the right size of a pair of shoes for a customer.
The verb *stretcher* is also used either during *une séance
de stretching*, or while talking about clothes that stretch.

Also, more than 120 verbs, conjugated in the gerund in
English, have become new expressions in French.
Examples: *faire un reporting, lancer un cleaning,
faire son coming-out, un piercing, le making of,
le coworking, faire du fact-checking*, etc.

Dennis ne répond pas. <u>Et puis l'interphone sonne</u>. Il regarde la caméra. C'est un photographe. "Bonjour, vous êtes un ami de L., <u>n'est-ce pas</u> ? Est-ce qu'elle est chez vous ?" Dennis <u>envoie promener l'importun</u>. <u>Je tremble</u>.

– C'est ridicule <u>cette histoire</u> ! Ce n'est pas moi, je ne connais pas cette G.D...

<u>Et puis l'interphone sonne</u> (*sonner*) = Then the intercom rings

<u>n'est-ce pas</u> = aren't you

<u>envoie</u> (*envoyer*) <u>promener l'importun</u> = tells off the intruding person

<u>Je tremble</u> (*trembler*) = I'm shivering

<u>cette histoire</u> = this affair/matter

Dennis <u>me caresse les cheveux</u>. <u>Je me calme</u>. Mais peu après <u>on sonne à la porte</u>. Une sonnerie insistante, <u>lancinante</u>. <u>Prise de terreur</u>, je <u>hurle</u>...

Je me réveille en sueur, suffoquant, <u>le souffle coupé</u>. Je vois mon mari qui <u>se penche sur moi</u>.

<u>me caresse</u> (*caresser*) <u>les cheveux</u> = strokes my hair

<u>Je me calme</u> (*se calmer*) = I calm down

<u>on sonne à la porte</u> = someone rings the doorbell

<u>lancinante</u> = piercing

<u>Prise de terreur</u> = Terrified

<u>hurle</u> (*hurler*) = scream

<u>le souffle coupé</u> = gasping for breath

<u>se penche</u> (*se pencher*) <u>sur moi</u> = leans over me

---

VOCABULARY

The various ways to talk about love

Any English-speaking person who starts learning French knows that "love" translates as *amour* and that "to love" as the verb *aimer*. However, they are puzzled when they realise that it is the same with "to like." How can one use the same verb when talking about cheese or about their spouse? And yet, it's perfectly ok to say *j'aime le fromage* and *j'aime mon mari*. On page 18, when you read *nous nous aimions*, it means the woman deeply loved Dennis.
But when they talk about friends, they will not use *aimer* alone. This is where a few adverbs play an important role. They would say: *J'aime bien Michel* (I like Michel), or *J'aime beaucoup Michel* (I like Michel a lot).
Another verb commonly used to say "to love" or "to like" is "*adorer*," that you can see on page 16. Here, it expresses some sort of admiration. You can use it almost like *aimer*: *j'adore le fromage* (I like cheese a lot) but if you say to your husband *je t'adore*, it is less strong than *je t'aime*, rather more affectionate. And if you say *J'adore Michel*, it means: "I really like Michel."

To conclude, it may not be a good idea to say *je t'aime* to a French friend unless you are ready for the consequences of a *déclaration d'amour*. Just do like the French, who would almost never say *je t'aime*, with or without adverbs, to a friend. Friendship is more expressed through smiles, kind glances, and the simple visible pleasure of being together.

– Qu'est-ce qui t'arrive ? me demande-t-il. Tu as crié.
– J'ai fait un cauchemar affreux !
– C'est vrai ? Tu as rêvé quoi ?
– Que j'étais devenue célèbre et poursuivie par des paparazzi...
– Ah oui ça c'est horrible, dit-il sur le ton de la moquerie.

---

t'arrive (*arriver*) = is happening to you
Tu as crié (passé composé of *crier*) = You screamed
J'ai fait (passé composé of *faire*) un cauchemar affreux = I had an awful nightmare; note that in French we can invariably use *faire* (to do, to make) or *avoir* (to have) in such a context
Tu as rêvé (passé composé of *rêver*) quoi = What did you dream
sur le ton de la moquerie = on a mocking tone

– Mais ce n'était même pas moi !
– Alors ça c'est vraiment affreux, commente-t-il en riant.
    Fâchée, je lui tourne le dos et ferme les yeux. Et je retourne un moment dans les bras de Dennis. Ce rêve avait tout de même quelque chose de bon.

□

Alors ça = Well, that
en riant (*rire*) = laughing
Fâchée = Annoyed, upset, angry
je retourne (*retourner*) = I go back
Ce rêve avait tout de même quelque chose de bon = There was still something good about this dream

---

QUESTIONS

Parce qu'elle lavue sur la couverture de Glamour

1. Pourquoi une amie de la narratrice l'appelle-t-elle ?
2. Pourquoi la narratrice est-elle très surprise ?
3. Qu'est-ce qu'elle voit par la fenêtre ? *des photographes*
4. Qui appelle-t-elle pour se faire aider ? *son ex, Dennis*
5. Qu'est-ce qu'on comprend à la fin ? *ce rêve etait bon*

VRAI OU FAUX ?

1. La narratrice s'appelle G.D. *F*
2. Elle est très célèbre. *F*
3. Dennis est son ex. *T*
4. Son mari se moque d'elle. *T*
5. Elle part dormir chez Dennis. *F*

parce-que ce n'est pas elle qui est sur la couverture de Glamour

(Answers page 127)

2. COLOCATAIRES

 Listen to the story, and read it out loud:

CE QUI EST SUPER quand on est une très vieille dame, et encore mieux quand on n'a pas de famille proche, c'est qu'on peut se raconter des histoires. On peut recréer sa vie, laisser aller son imagination, effacer ses erreurs, ou les aggraver, comme on veut, enjoliver sa jeunesse ou y rajouter quelques drames.

Tous les hommes qu'on a aimés sont morts. Ils ne viendront pas protester ou nier.

---

on peut se raconter des histoires = one can tell stories to oneself
effacer = to erase
comme on veut (*vouloir*) = as we want
enjoliver sa jeunesse = to embellish one's youth
y rajouter = to add to it
qu'on a aimés = that we loved (see also page 21)
Ils ne viendront (future of *venir*) pas = They will not come
nier = deny

On peut rendre fabuleux <u>les moments les plus fous</u> de l'amour, même ceux qui étaient ordinaires, revivre par la pensée une <u>vie commune</u> qui n'a pas existé. On peut même s'inventer d'autres amants et rendre la vie plus belle, ou plus tragique, <u>selon l'humeur du jour</u>.

<u>les moments les plus fous</u> = the most crazy times
<u>vie commune</u> = life together
<u>selon l'humeur du jour</u> = depending on the mood of the day

---

C'est ce que fait Francine, qui prend un grand plaisir à <u>écrire des histoires dans sa tête</u>, ce qui lui permet de <u>se distraire</u> et de passer le temps durant ses longues heures d'insomnie. Parfois elle arrive même à s'endormir, calmée par ses propres <u>récits</u>. <u>Si on ressasse</u> la "vraie" vie, c'est source de trop d'angoisse, et très mauvais pour la santé. Les douleurs dans les jambes et le dos deviennent <u>obsédantes, comme les mauvais souvenirs</u>.

<u>écrire des histoires dans sa tête</u> = to imagine stories; lit.: to write stories in her head
<u>se distraire</u> = to amuse oneself
<u>récits</u> = tales, stories
<u>Si on ressasse</u> (*ressasser*) = If one keeps bringing up, repeating in one's mind
<u>obsédantes</u> = obsessive
<u>comme les mauvais souvenirs</u> = just like bad memories

VOCABULARY

The vocabulary of housing

Here are the most usual words:

Logement = generic for housing: *A Paris, il y a une crise du logement.* = In Paris, there is an housing crisis.

Hébergement = accommodation (it often suggests that it is temporary); *héberger* = to accommodate. You can see these words in context on pages 28 and 29.

Appartement = flat, apartment. The French often say only *appart*, as in the example below.

Loyer = rent, as on page 28.

Locataire = tenant.

Propriétaire = owner, landlord.

Colocataire = roommate. You'll see it on page 29, and it is also the title of this story. Note that the French often use only *coloc*. Example: *Je partage mon appart avec 2 colocs.* = I share my flat with 2 roommates.

Habiter = to live (somewhere or with someone), to reside, as you will see later on page 63. Example: *Il habite encore chez ses parents.* = He still lives with his parents.

Habitant = 1) inhabitant, as you will see on page 38; note that it agrees with the feminine (*habitante*) and the plural;
2) living, residing (it is then the present participle of *habiter*), as on page 99).

Habitation = house, home, housing. A more administrative term, less used in the common language.

Cohabiter = to share a flat or a house, as on page 30.

Francine a toujours préféré la fiction à la réalité, et pas seulement dans <u>ses lectures</u>. Son seul regret est de <u>ne pas pouvoir partager avec quelqu'un</u> les histoires qu'elle improvise.

Un jour, elle apprend que des personnes âgées peuvent <u>héberger</u> chez elles gratuitement un étudiant ou une étudiante <u>qui n'arrive pas</u> à payer un <u>loyer</u>, en échanges de petits services : quelques courses, un peu de <u>ménage</u> ou d'aide administrative.

<u>ses lectures</u> = what she reads (what she likes to read)
<u>ne pas pouvoir partager avec quelqu'un</u> = not to be able to share with someone else
<u>héberger</u> = to accommodate (see page 27)
<u>qui n'arrive</u> (*arriver*) <u>pas</u> = who cannot afford
<u>loyer</u> = rent (see page 27)
<u>ménage</u> = housework

© Andrea Piacquadio from Pexels

On appelle cette formule "hébergement intergénérationnel". Elle est tentée d'essayer. Elle trouve un site internet et s'inscrit. Très vite, elle reçoit toute une liste de colocataires potentiels.

Francine regarde les photos attachées à chaque CV. Ces jeunes sont tous très mignons et semblent pleins d'enthousiasme. Comment choisir... Un garçon ? Une fille ? Aucune importance, pourvu qu'il ou elle soit sympa.

---

hébergement intergénérationnel = intergenerational accommodation formula (see pages 27 and 32)
colocataires = roommates (see page 27)
mignons = cute
pleins = full of (see also page 48)
Aucune importance, pourvu qu' = It doesn't matter, as long as

---

En lisant leurs réponses aux questions posées dans le formulaire d'inscription, elle tombe sur un commentaire qui la frappe.

---

formulaire d'inscription = enrolment form (for students willing to share a flat with an elderly person)
elle tombe (*tomber*) sur = she comes across on
la frappe (*frapper*) = strikes her

À la question : "Pourquoi souhaitez-vous <u>cohabiter</u> avec une personne âgée ?", Arnaud a répondu : "Parce qu'<u>on a beaucoup à apprendre d'eux</u>, j'aimerais écouter les histoires de leurs vies."

<u>cohabiter</u> = to share a flat or a house, to live in the same place (see page 27)
<u>on a beaucoup à apprendre d'eux</u> = we have a lot to learn from them

---

Francine le contacte, et <u>ils prennent rendez-vous</u>. Arnaud, <u>étudiant en lettres</u>, vient avec un grand sourire, lui parle gentiment, lui demande ce qu'il peut faire pour l'aider. Elle suggère deux ou trois choses. Il est très poli, et ne semble pas <u>accro</u> à son smartphone.

Deux jours plus tard, il <u>s'installe dans</u> la chambre qu'ils ont préparée ensemble, avec un bureau et des <u>étagères</u> remplies de livres.

<u>ils prennent</u> (*prendre*) <u>rendez-vous</u> = they make an appointment
<u>étudiant en lettres</u> = literature student
<u>accro</u> = addicted
<u>s'installe</u> (*s'installer*) <u>dans</u> = settles in
<u>étagères</u> = bookshelves

Spontanément, <u>ils se tutoient</u>, et dès le premier soir, après le dîner, elle lui raconte une histoire, vraie ou fausse. Arnaud prend des notes. Quelques jours plus tard, il lui dit :

– C'est <u>génial</u> toutes ces histoires, avec tous ces gens que tu as connus ! <u>Est-ce que tu m'autoriserais</u> à les publier ?

Francine exulte d'une joie <u>qu'elle n'aurait jamais imaginé ressentir</u>.

– Oui <u>bien sûr</u>, si tu penses que...

<u>ils se tutoient</u> (*se tutoyer*) = They use the "*tu*" form with each other

<u>génial</u> = really great, amazing (most of the time *génial* doesn't translate into genius)

<u>Est-ce que tu m'autoriserais</u> (conditional of *autoriser*) = Would you allow me

<u>qu'elle n'aurait jamais imaginé</u> (past conditional of *imaginer*) <u>ressentir</u> = that she would have never imagined to feel

<u>bien sûr</u> = of course

– Absolument ! Et tu as des photos ?

Francine semble soudain très <u>gênée</u>, presque inquiète, ce qui intrigue Arnaud. Après un long silence elle répond :

– Tu sais, <u>à l'époque</u> on ne prenait pas beaucoup de photos...

□

<u>gênée</u> = embarrassed

<u>à l'époque</u> = at the time (meaning: when she was much younger)

A cultural note

Hébergement intergénérationnel
A great formula to accommodate students

Intergenerational housing, commonly known as roommate or intergenerational cohabitation, is a system in which seniors, generally living alone, offer to young people (students most of the time) a room against various types of services, for a free or moderate rent. For the older people, especially the ones who live alone, it's a wonderful way not to feel too lonely and to have some help. For the students, it's a cheap accommodation and most of the ones who choose to do it for a few months say that it was a great experience and that it was interesting to chat with their host.

This formula isn't specific to France, but it is organized differently than in some countries. In the US for example, this type of accommodation often takes place within specially organized villages or communities where the seniors live in private apartments or collective residences. In France, it is simply at their home (apartment, old or new house), where they lived their all life sometimes, that the seniors welcome the students. They find their temporary tenants and get all the useful information and advice on the way to do it through several websites created by private associations. There are already dozens of them all over France, that are very active.

QUESTIONS

Francine est vieux. Elle aime imaginer des histoires

1. Qui est Francine et qu'est-ce qu'elle aime faire ?
2. Qu'est-ce qu'elle apprend qui l'intéresse ? *p.128*
3. Qui est Arnaud ? Comment l'a-t-elle rencontré ?
4. Que lui demande-t-il ? *p.128*
5. Comment réagit Francine ?

Elle est très heureuse parce qu'elle aime ses histoires immaginatives. Mais, quand Arnaud lui demande des photos, elle est très gênée parce qu'elle n'est pas des photos depuis ses histoires sont imaginaires.

VRAI OU FAUX ?

1. Francine est très proche de sa famille. *F*
2. Elle passe ses journées à lire des histoires. *F*
3. Elle aime bien les jeunes. *T*
4. Arnaud est très gentil avec elle. *T*
5. Francine ne trouve pas ses photos. *F*

(Answers page 128)

Arnaud est un étudiant qui veux etre son colocataire. Elle l'a trouve via l'internet

3. QUAND LES LIVRES S'AMUSENT

 Listen to the story, and read it out loud:

DEPUIS QUELQUE TEMPS, j'ai pris l'habitude de lire deux livres à la fois. Cela me permet de progresser plus vite, il y a trop de livres que je voudrais lire ! En général, je lis un roman le soir avant de m'endormir, et une biographie ou un essai en fin d'après-midi, quand je suis fatiguée de travailler.

Récemment, j'ai fait l'erreur de lire deux livres dont les intrigues avaient des similarités. Un roman et une autobiographie qui concernaient tous les deux une femme journaliste qui, au début de sa carrière, s'était vu confier des reportages incroyables.

Cela me permet (*permettre*) = It allows me
je voudrais (conditional of *vouloir*) lire = I would like to read
avant de m'endormir (*s'endormir*) = before I fall asleep
intrigues = plots
s'était vu confier = had been assigned
reportages = reports (journalistic enquiries)

Dans les deux cas, cela avait donné un tournant spectaculaire à leur vie. Un autre point commun était que dans les deux livres il y avait un personnage masculin qui s'appelait Don.

Soudain, pendant que je lisais l'autobiographie, quelque chose de très bizarre s'est produit. Les deux histoires ont commencé à se mélanger. C'était comme si les personnages s'amusaient à passer d'un livre à l'autre.

---

point commun = common thread
personnage = character (see page 39)
s'est produit (*se produire*) = took place
se mélanger = to mix, to blend, to run together
comme si = as if

© DR

À un moment, je ne comprenais plus ce que la femme faisait, ça n'avait aucun sens pour la suite de l'histoire. Je me suis mise frénétiquement à relire les pages précédentes, mais ce n'était plus elle qui était là, c'était la femme du roman que je lisais le soir. Je suis allée le chercher, et j'ai comparé les deux.

> ça n'avait aucun sens = it didn't make any sense
> Je me suis mise (*se mettre*) = I started
> ce n'était plus elle qui était là = it was no longer her (the character from the autobiography) who was there
> Je suis allée (passé composer of *aller*) le chercher = I went to get it

Pas de doute, tout avait changé, les personnages étaient intervertis, aucun n'était à sa place. Prise de vertige, j'ai refermé les deux livres. J'ai placé l'autobiographie dans la pile des rares livres qui me tombent de la main et que je donne à la bibliothèque de ma ville, je ne voulais plus le lire, c'était trop déstabilisant.

> étaient intervertis = had switched places
> Prise de vertige = Feeling dizzy
> la pile des rares livres qui me tombent de la main = the pile of the rare books that I don't like and cannot finish; *tomber de la main* is an idiomatic expression
> je ne voulais (imperfect of *vouloir*) plus le lire = I no longer wanted to read it
> déstabilisant = unsettling

Après, tout <u>est rentré dans l'ordre,</u> le roman a continué à <u>me raconter</u> son histoire, qui semblait de nouveau parfaitement <u>cohérente</u>.

Mais le même phénomène s'est produit quelques semaines plus tard. J'avais repris mon habitude de lire deux livres en même temps : un roman et un essai historique.

<u>est rentré</u> (passé composé of *rentrer*) <u>dans l'ordre</u> = returned to normal

<u>me raconter</u> = to tell me; there is not a very good translation of *raconter* which means "to tell" but with many details, like when you give a narration

<u>cohérente</u> = consistant

Cette fois, tous les deux <u>se situaient</u> dans des pays <u>en guerre</u>. Le roman révélait le sort des <u>habitants</u> des pays Baltes pendant la Seconde Guerre mondiale, et une grande partie de l'essai <u>portait sur</u> les conflits en ex-Yougoslavie au début des années 1990. Un autre point commun était que le personnage principal était une jeune femme.

<u>se situaient</u> (imperfect of *se situer*) = were taking place

<u>en guerre</u> = at war

<u>habitants</u> = inhabitants (see also page 27)

<u>portait</u> (imperfect of *porter*) <u>sur</u> = was about, focused on

---

VOCABULARY

Des personnages qui ont du caractère

It is very easy to be confused about these two words.
When in English you talk about "a character,"
it is mainly translated by *un personnage* in French, as you
can see several times beginning on page 36 and on page 70.
Note that *caractère* is a masculine word which is
also used for female characters. Example:
La femme est le personnage le plus important du roman. =
The woman is the main character of the novel.
However, "character" can also be translated by *caractère*
for example when you talk about the moral quality
of a person, or of a written symbol (a font).
But if you say about someone: *Il/Elle a mauvais
caractère*, it means "He/She is bad tempered."

Personne: somebody, and nobody

Another confusing word is *personne*. When you talk about
a non-specified person, you say *une personne* (a noun which
is always in the feminine). This is its most common
meaning, that you can see in several stories of this book.
But *personne* is also a pronoun meaning "nobody," "no one,"
or, in some negative constructions, "anybody" or "anyone."
Examples:
Cette personne est très sympa. = This person is very nice.
Elle n'aime personne. = She doesn't like anybody.
Il n'y a personne ici. = There is nobody here,
there isn't anybody/anyone here.
Personne n'est venu. = No one/nobody came.

Une nouvelle fois, après plusieurs chapitres, les deux femmes ont entrepris de jouer à cache-cache, apparaissant soudainement dans le livre qui ne les concernait pas.

J'ai été saisie de panique. Est-ce que c'était moi qui était la cause de ce phénomène ?

---

ont entrepris (passé composé of *entreprendre)* de jouer à cache-cache = took the initiative to play hide and seek

J'ai été saisie de panique = I panicked; lit.: I was hit by panic

Est-ce que c'était moi = Was it I

J'ai demandé à des amis si ce genre de chose leur était arrivé, mais non. Ils ont tous pensé que c'était mon imagination qui me jouait des tours.

Cette fois, je n'ai pas voulu abandonner l'un des livres, ils étaient trop passionnants tous les deux.

---

ce genre de chose leur était arrivé (past perfect of *arriver*) = this kind of thing had happened to them

me jouait des tours = was playing tricks to me; *jouer des tours* is an idiomatic expression

Cette fois = This time

je n'ai pas voulu (passé composé of *vouloir*) = I did not want to

---

A cultural note

The French and their passion for books

Most French people regularly read books, even in this time of the internet it has remained an important habit, which has increased in recent years. Every fall the *rentrée littéraire* early September, after the summer vacation, when most French books are published, is an important event. Here are a few interesting statistics that were published in June 2019:

—88% of French people are readers, 4% more than in 2017; and 9% more young people (15-24 years old) are readers too.

—91% of them read books on paper.

—96% of them read for the pleasure of it.

—50% of them read everyday.

—34% have read 20 books in 12 months.

—The books that the French read the most are: novels, practical books, and comic books: *BD* (*bandes dessinées*) or mangas.

—When they choose a book to read, it is mostly because they know the author, or they have been advised to do so by a friend or a family member or also the bookstore salespersons, or they have read or heard about the book in an article, a blog, a literary Facebook page, or on TV.

One of the best way to be informed about the latest books is an impressive TV show called *La Grande Librairie**. It takes place once a week, during prime time, and lasts 1 hour 30 minutes. It has been a huge success since its creation in 2008. The TV literary programs that preceded this show were also very popular and their hosts are real stars now, the most famous being Bernard Pivot.

———

* *La Grande Librairie* is available to watch on the website of France 5: www.france.tv/france-5/la-grande-librairie

J'ai laissé les personnages <u>faire ce qui leur passait par la tête</u>, et <u>me suis contentée</u> de les observer avec <u>un sourire complice</u>. <u>Après tout</u>, <u>il faut les comprendre</u>, <u>qui voudrait se laisser enfermer</u> dans une seule histoire ?

□

<u>faire ce qui leur passait par la tête</u> = to do whatever popped into their head; *passer par la tête* is an idiomatic expression

<u>me suis contentée</u> (passé composé of *se contenter*) = limited myself

<u>un sourire complice</u> = a knowing smile

<u>Après tout</u> = after all

<u>il faut</u> (*falloir*) <u>les comprendre</u> = we have to understand them

<u>qui voudrait</u> (conditional of *vouloir*) <u>se laisser enfermer</u> = who would like to be trapped

VOCABULARY

How to distinguish the various types
of books in French

The vocabulary differs slightly in English and in French
when you want to talk about books.

—We often translate *"roman"* by "novel," but in reality the
best translation of the word *roman* is "book of fiction."
While *un roman d'amour* is closer to a novel.

—*Un journal* is a diary.

—Un *roman historique* is a historical novel.

—*Un roman de science fiction* is a science fiction book.

—*Un roman policier*, also called *un polar*, is a detective novel.

—*Un thriller* is a direct adaptation of the English word.

—It is the same with *livres de fantasy*.

—"Non-fiction books" have no direct equivalent in French.
The distinction is always made between the kind of work:
une biographie or *une autobiographie, un essai* (an essay), *des
mémoires* (a memoir) *un récit* (a story, or more generally a
non-fiction book), such as *un récit d'aventure*.

—And to talk about a short story, like the ones in this book,
the French say: *une nouvelle*; it is the same word used for
"the news," which can sometimes be confusing...

Note: When you speak with French people, they often use
a familiar synonym of *un livre*: *un bouquin*. This is where
the word *bouquiniste* (seller of used books) comes from.

*[handwritten top margin:] Elle parle d'un roman et d'une autobiographie
2 Tous les deux concern une journaliste
et une personne qui s'appelle Don.*

QUESTIONS

[handwritten:] 1· Elle a lire deux livres à la fois, un roman et une biographie ou un essai.

1. Comment la narratrice organise-t-elle ses lectures ?
2. Quels sont les deux premiers livres dont elle parle ?
3. Qu'est-ce qui s'est passé pendant qu'elle les lisait ? *p.129*
4. Quels sont les deux autres livres qui ont suivi ?
5. Que se passe-t-il à la fin de l'histoire ?

[handwritten:] 4. Un roman et un essai. Tous les deux a les conflits au début des années 1990. et une personnage principal qui est une jeune femme. F

VRAI OU FAUX ?

1. La narratrice ne lit que des romans. *F*
2. Don est le personnage de deux livres différents. *T*
3. La narratrice donne tous ses livres à la bibliothèque. *F*
4. Elle aime les livres historiques. *T*
5. Ses amis ne l'ont pas comprise. *T*

[handwritten:] 5. Les personnages continue de jouer à cache-cache entre les livres. La narratric décide

(Answers page 129)

[handwritten bottom margin:] de ne plus s'inquiéter et les observe avec un sourire complice. Elle comprend que leur vie serait trop monotone s'ils restai enfermés dans une seul histoire.

4. BIG BROTHER

 Listen to the story, and read it out loud:

LA PREMIÈRE FOIS, c'était quand mon mari a dit qu'il trouve-
rait sympa de partir trois ou quatre jours en <u>croisière</u>, pour dé-
couvrir des îles où on n'a jamais <u>l'occasion</u> d'aller. J'ai répondu :
– Oui, pourquoi pas ?
     Il a donc commencé des recherches sur internet. Deux
heures plus tard, il m'a dit :
– <u>On laisse tomber</u>, <u>il n'y a rien pour moins de</u> 10 jours, et c'est
beaucoup trop <u>cher</u>.
     Après, en ouvrant mon ordinateur pour lire un journal nu-
mérique, il y avait partout des <u>pubs</u> de croisières. Une coïnci-
dence ?

<u>croisière</u> = cruise
<u>l'occasion</u> = the opportunity
<u>On laisse tomber</u> = Let's forget it; lit: let's drop it
<u>il n'y a rien pour moins de</u> = there is nothing for less
than
<u>cher</u> = expensive
<u>pubs</u> (*publicités*) = ads

– Moi aussi j'ai <u>plein de</u> pubs, m'a dit mon mari.

<u>Je lui ai fait remarquer</u> que c'était normal, puisque <u>c'était lui</u> qui avait fait cette recherche, c'est toujours comme ça.

– Mais moi je n'ai rien cherché sur les croisières !

<u>plein de</u> = many (see page 48)
<u>Je lui ai fait remarquer</u> (passé composé of *faire remarquer*) = I pointed out to him
<u>c'était lui</u> = it was he

On s'est regardés, perplexes. Et on a commencé à <u>faire plus attention</u> aux pubs <u>s'affichant</u> sur nos appareils électroniques. On est allés de surprise en surprise.

<u>faire plus attention</u> = to pay more attention, to look more carefully; usually *faire attention* means to be careful
<u>s'affichant</u> (*s'afficher*) = being displayed

© *Cottonbro from Pexels*

Hier, par exemple, j'ai googlé sur mon iPhone pour trouver une recette de gratin aux endives. Un peu plus tard, mon mari avait plein d'endives sur son écran. Tout comme j'avais des pneus de vélos sur le mien car il voulait en acheter de nouveaux.

> j'ai googlé = I Googled (see also page 19)
> mon mari avait plein d'endives sur son écran = there were lots of (pictures of) endives on my husband's screen (see page 48)
> Tout comme = Exactly as
> pneus de vélos = bicycle tires
> le mien = mine (my screen)

Et ça a continué. Mon mari a regardé à la télé le concert d'un musicien de jazz. Le soir, quand j'ai ouvert Spotify avant de faire la cuisine, c'est sa musique qui est apparue en premier. Et mon mari a reçu sur Facebook des tas de pubs pour un démaquillant que je venais de commander sur Amazon.

Nous en avons parlé aux enfants pendant le week-end. Non seulement ils n'ont pas été surpris, mais ce qu'ils nous ont raconté nous a stupéfiés.

> Et ça a continué (passé composé de *continuer*) = And it went on
> des tas de = lots of
> démaquillant = make-up remover
> ce qu'ils nous ont raconté (passé composé of *raconter*) = what they told us, explained to us

VOCABULARY

Plein, a word full of surprises

This word has the rare particularity of being either:

1. <u>An adjective</u>, which agrees in the plural and the feminine. Its main translation is "full": *La bouteille est pleine d'eau.* = The bottle is full of water.
Among its other meanings are:
– "crowded," like in: *La gare est pleine de monde.* = The train station is crowded;
– "right in/right in the middle" like on pages 17 and 63.
BE CAREFUL: You should never translate "I'm full" by: *Je suis plein(e)*. In the masculine it doesn't make any sense, but in the feminine it means "pregnant" – for animals... It's much better to say: *Je n'ai plus faim.*

2. <u>An adverb</u>, followed by the preposition *de*, which means: "a lot," "many." See examples on pages 46 and 47.
Note than another adverb is formed with *plein*: *pleinement,* that you can see on page 51.

3. <u>A noun</u> (masculine), used mainly when you fill up the tank of your car: *Le plein svp !* = Fill it up please! Obviously, it is less used nowadays as you fill it up yourself... But you can also say: *Jai fait le plein de chocolat avant Noël !* = I stocked up on chocolate before Christmas!

Many common expressions are made with *plein*, such as:
   Battre son plein. = to be in full swing (for a party).
   Démarrer plein pot. = To take off at full speed.
   En avoir plein les bottes. = To have had it up to here.
   En mettre plein la vue. = To show off.

– J'ai envoyé par email à Marc une liste d'hôtels pour notre voyage à Miami. De suite après, il avait des pubs d'hôtels de Miami sur son iPad.

– Pareil pour moi ! J'ai envoyé un sms à Julie pour lui demander son avis sur la couleur à choisir pour mes cheveux car ils s'étaient trop éclaircis. Après, on a eu toutes les deux des pubs de shampoings colorants.

> De suite = Right away; note that the exact expression should be *tout de suite* but most French people drop off the *tout* when they talk
> Pareil = The same
> sms = text
> avis = opinion
> éclaircis = lightened (the color of the hair had faded)

– Moi c'est pire ! J'ai passé un coup de fil à Lucie pour qu'elle m'apporte quelques-unes des nouvelles vitamines qu'elle avait achetées et que je voulais tester. Figurez-vous, en ouvrant mon ordinateur, il y avait des pubs de ces mêmes vitamines !

> pire = worse
> J'ai passé (passé composé of *passer*) un coup de fil = I gave a phone call
> pour qu'elle m'apporte (subjunctive of *apporter*) = so that she brings me
> Figurez-vous (imperative of *se figurer*) = You know what, would you believe it

– Attends, il y a mieux ! Pendant notre dernier voyage, David a acheté des chaussures dans un magasin. Moi je l'ai juste accompagné, je n'ai rien acheté. Mais le soir même, j'avais des pubs pour cette même marque de chaussures sur ma page Facebook !

Attends (imperative of *attendre*), il y a mieux = Wait, there is better (an ironic remark meaning: there is even worse)
marque = brand

– Mais Marc, tu as mis sur Facebook une photo de vous deux côte à côte ?
– C'est vrai, mais on n'était pas devant ce magasin, et il n'y avait aucune mention des chaussures !
– C'est dingue, c'est Big Brother ! Nous sommes suivis dans tous nos gestes...

---

tu as mis (passé composé of *mettre*) = you've put
côte à côte = side by side
C'est dingue = That's crazy
Big Brother = the French use the same English expression when referring to the extreme surveillance regime imagined in George Orwell's book *1984*.
Nous sommes suivis (*suivre*) = We're followed; meaning: everything we do is tracked

– Oui, c'est vraiment <u>effrayant</u>.

Nous avons continué de nous <u>énerver</u> toute la soirée contre cet incroyable contrôle dont nous sommes tous devenus les victimes.

<u>effrayant</u> = scary
<u>énerver</u> = to get angry

– Parfois, je rêve de partir sur une île déserte, où il n'y a pas internet ! Et <u>je n'apporterais pas</u> mes appareils, dit Julie. Mais <u>est-ce qu'un monde comme celui-là existe</u> encore aujourd'hui ?"

Oui, il existe. Sur nos iPhones le matin, on avait tous des pubs pour un resort sur une île de Nouvelle-Calédonie "où vous pouvez vous relaxer <u>pleinement</u> car il n'y a pas la wifi"...

☐

<u>je n'apporterais</u> (conditional of *apporter*) <u>pas</u> = I wouldn't bring
<u>est-ce qu'un monde comme celui-là existe</u> (*exister*) = does a world like that really exist
<u>pleinement</u> = totally, fully (see page 48)

QUESTIONS

Il voulait se renseigner sur des croisières de trois ou quatre jours.

1. Que voulait faire le mari de la narratrice ?

2. Qu'est-ce qu'ils ont découvert ? *Sa femme recevait des pubs de croisière sur son ordi et elle n'avait pas fait des recherches pour ça.*

3. Avec qui ont-ils dîné pendant le week-end ?

4. Qu'est-ce qui est arrivé à Marc ? *p. 130*

5. De quoi rêve Julie ?

Elle rêve que de partir dans une îles déserte ou il n'y aurait pas internet

VRAI OU FAUX ?

1. Le mari de la narratrice fait du vélo. *T*

2. La narratrice n'écoute jamais de musique. *F*

3. David a acheté de nouvelles chaussures. *F T*

4. Marc a une page Facebook. *T*

5. Julie ne veut pas se séparer de ses appareils électroniques. *F*

(Answers page 130)

3.

5. UNE GASTRONOME

 Listen to the story, and read it out loud:

NOUS HABITIONS EN CALIFORNIE quand ma fille m'a annoncé qu'elle allait se marier. Je savais que cela ferait très plaisir à ma mère d'être avec nous pour cet événement, et aussi de <u>passer quelque temps</u> près de nous. Elle avait <u>alors</u> 83 ans. La première fois qu'elle avait fait un long voyage en avion depuis la France, c'était pour nous rejoindre à New York, quand elle avait 80 ans.

J'ai d'abord pensé la faire venir en Californie juste pour quelques jours, mais <u>je la savais seule</u> dans sa petite maison d'Ardèche depuis la mort de mon père, et <u>je lui ai proposé</u> de venir plus longtemps.

<u>passer quelque temps</u> = to spend some time
<u>alors</u> = then
<u>je la savais</u> (imperfect of *savoir*) <u>seule</u> = I knew she was lonely
<u>je lui ai proposé</u> (passé composé of *proposer*) = I offered her, suggested to her

---

Elle a hésité, et a accepté de venir pour 3 mois. <u>À la condition qu'elle puisse amener sa chienne</u>, Nobel. Nous avons donc décidé que ma fille <u>irait les chercher</u>, et que je les <u>raccompagnerais</u> au retour. Ma mère ne pouvait pas faire le voyage toute seule depuis si loin, aller jusqu'à Paris pour prendre l'avion était déjà une aventure.

<u>À la condition qu'elle puisse</u> (subjunctive of *pouvoir*) <u>amener sa chienne</u> = On the condition that she bring her female dog with her

<u>irait</u> (conditional of *aller*) <u>les chercher</u> = would go pick them up

<u>raccompagnerais</u> (conditional of *raccompagner*) = accompany them back

---

© *Charles Roth from Pexels*

À l'aéroport de Los Angeles où je les attendais, j'ai de suite su qu'elles approchaient de la sortie en entendant les hurlements de la chienne. Elle aboyait si fort que tout le monde regardait le chariot poussé par ma fille sur lequel était posé la grande cage pour chiens. Ma mère, très digne mais visiblement un peu perdue, s'accrochait aussi au chariot.

> j'ai de suite su (passé composé of *savoir*) = I knew right away
> hurlements = howlings
> aboyait (imperfect of *aboyer*) = was barking
> chariot = baggage cart
> cage pour chiens = dog cage
> visiblement = obviously
> s'accrochait (imperfect of *s'accrocher*) aussi au = was also holding onto

Dès que je les ai rejointes, ma fille a éclaté de rire, m'expliquant que grâce à Nobel, et à ses aboiements stridents qui avaient excédé les douaniers, elle n'avait jamais passé les formalités aussi vite !

> Dès que je les ai rejointes (passé composé of *rejoindre*) = As soon as I had joined them
> a éclaté (passé composé of *éclater*) de rire = burst out laughing
> grâce à = thanks to
> stridents = piercing
> excédé = exasperated
> formalités = immigration and customs procedures

Une fois la chienne libérée, elle s'est calmée. Folle de joie, mais encore sur le choc de son horrible expérience, Nobel, toute tremblante d'émotion, s'est mise à sauter sur nous trois en gémissant et en nous léchant les mains.

Une fois = Once
tremblante = shivering
s'est mise (passé composé of *se mettre*) à sauter = started to jump
gémissant (*gémir*) = moaning
léchant (*lécher*) = licking

Peu après, quand nous avons commencé à rouler sur la route longeant l'océan Pacifique, ma mère a annoncé :
– Elle a faim.

En effet la chienne, qui s'était confortable installée sur les sièges arrière de la voiture, avait recommencé à pleurer.
– Pas de problème, a répondu ma fille, on va s'arrêter au premier MacDo.

---

rouler = to drive
longeant (*longer*) = along
En effet = Indeed
avait recommencé (imperfect of *recommencer*) à pleurer = had started to whine again

---

Une demi-heure plus tard, nous étions au guichet d'un McDonald's, expliquant très clairement que nous voulions un hamburger nature, sans aucune sauce, sans pickles, seulement du pain et un steak haché.

Dans le parking, nous avons défait le paquet, enlevé le pain et présenté le hamburger à Nobel dans une assiette en carton.

---

guichet = counter
que nous voulions (subjunctive of *vouloir*) = that we wanted
nous avons défait (passé composé of *défaire*) = we took off the wrapping
carton = cardboard

La chienne s'est précipitée, et a regardé et senti la viande. Puis, à notre surprise, elle a tourné la tête sur le côté et, visiblement écœurée par l'odeur, elle a refusé de manger.

---

s'est précipitée (passé composé of *se précipiter*) = rushed
Puis = Then
écœurée = disgusted

Des expressions idiomatiques qui ont du chien

Among the many idiomatic expressions that the French use in their daily language, many refer to animals, pets in particular. Here are a few with dogs.

—*Avoir du chien* (lit.: To have some dog), like in the title above = To be very attractive, to have a special charm. **Ex.:** *Tout le monde est d'accord, Marie Cotillard a du chien !* = Everybody agrees, Marie Cotillard is very attractive!

—*Avoir un caractère de chien* (lit.: To have the temperament of a dog) = To have a bad temper.

—*Il fait un temps à ne pas mettre un chien dehors* (lit.: Il's not weather to put a dog outside). = It's not weather fit for man or beast.

—*Être malade comme un chien* (lit.: To be sick as a dog) = To be very sick.

—*Avoir un mal de chien (à faire quelque chose)* (lit.: To have the difficulty of a dog) = To face many problems (in doing something).

—*Les chiens ne font pas des chats* (lit.: Dogs don't conceive cats) = Like father like son.

Nous avons dû aller au supermarché le plus proche et acheter de la viande hachée crue, la meilleure, la plus chère, que Nobel a entièrement dévorée en quelques secondes.

> Nous avons dû (passé composé of *devoir*) aller = We had to go
> viande hachée crue = raw ground beef

– Évidemment, a commenté un ami américain à qui nous racontions cette anecdote, quelle idée de proposer un MacDo à un chien français, qui est forcément un gastronome ! Quand on est habitué au filet mignon, on ne va pas manger du fast food.

□

> Évidemment = Of course (see also page 121)
> à qui nous racontions (imperfect of *raconter*) = to whom we were telling
> forcément = inevitably, obviously

A cultural note

French dogs and gastronomy

Contrary to most of our short stories, which are fictional, this one is real. This is exactly what happened when my mother visited us in the US. She wouldn't even have considered traveling without her dog, so we had to get organized! But it was a surprise for all of us that this starving dog, so stressed after a 12-hour flight in her cage, refused this hamburger from McDonalds. We knew that my mom was always overdoing it with her dog, who was used to eating almost the same food that she did. She isn't an exception, though. Many French people, especially seniors, treat their pets the same way.

A specificity of France is that dogs are always welcome in restaurants, supermarkets and grocery stores. My mom was surprised, we could even say shocked, when she realized that she would never be able to take Nobel, even with her on a tight leash, to any café or restaurant (except in some outdoor settings) or to any store. She couldn't believe it when she saw the sign "No dogs allowed" at the farmers' market. In France, she would never have thought going food shopping without her dog. The butcher, Nobel's favorite, would even have been worried that the dog was sick if she wasn't there with my mom. Each time they entered the shop, he would give Nobel a little treat, and, in a paper bag separate from whatever she purchased, he would give my mom a few bones, or even some good pieces of meat that weren't presentable enough to sell but that he had put aside for his customers' best friends.

QUESTIONS

1. Pourquoi la mère de la narratrice part en Californie ?
2. Qui sa mère veut-elle amener avec elle ?
3. Qui va la chercher ?
4. Pourquoi l'arrivée à l'aéroport a-t-elle été remarquée ?
5. Que s'est-il passé à la fin de l'histoire ?

VRAI OU FAUX ?

1. La mère de la narratrice habite en France.
2. Elle va rester 3 semaines en Amérique.
3. Elle est arrivée avec son chat.
4. La fille de la narratrice a suggéré de s'arrêter au MacDo.
5. Nobel a adoré son hamburger.

(Answers page 131)

6. VICTOR HUGO HABITE CHEZ MOI

 Listen to the story, and read it out loud:

DEPUIS QUELQUES SEMAINES, Victor Hugo habite chez moi. Il est installé sur le mur, en plein milieu du living-room. Tous les autres tableaux de la maison sont très impressionnés. Être exposés près de ce grand homme, quel honneur !

La maison ressemble à un musée. Il faut mettre de l'ordre si jamais quelqu'un vient le visiter.

---

habite (*habiter*) chez moi = lives at my place/my home (see also page 27)
installé = put in place
en plein milieu = right in the middle (see also page 48)
tableaux = paintings (see page 69)
exposés près de = exhibited close by/to
quel honneur = such an honor
mettre de l'ordre = to tidy things up
si jamais quelqu'un = in case (if ever) someone
le visiter = to visit it (see also page 66)

Les <u>toiles</u> qui étaient <u>de travers</u> <u>se redressent</u>. <u>Elles se tien-</u><u>nent bien droites</u> maintenant. Elles veulent <u>paraître dignes à</u> <u>côté</u> du prestigieux écrivain.

Les autres tableaux <u>n'osent pas</u> parler avec lui. Ils sont trop <u>intimidés</u>.

<u>toiles</u> = paintings
<u>de travers</u> = crooked
<u>se redressent</u> (*se redresser*) = straighten up
<u>Elles se tiennent</u> (*se tenir*) <u>bien droites</u> = They are straight
<u>paraître dignes à côté</u> = to appear dignified beside
<u>n'osent pas</u> (*oser*) = don't dare
<u>intimidés</u> = shy

© Painting by Marty Van Loan

Mais ils écoutent attentivement Victor Hugo quand il dit quelque chose. Par exemple : "Savoir penser, rêver. <u>Tout est là</u>." Ils essaient de comprendre. Rêver ? Penser ? <u>Qu'est-ce que ça veut dire</u> exactement ? Est-ce que les <u>œuvres d'art</u> pensent et rêvent ? C'est une question que les <u>peintures</u> de la maison <u>ne s'étaient jamais posée</u>. Elles aiment bien cette idée.

<u>Tout est là</u> = Everything is there

<u>Qu'est-ce que ça veut dire</u> (*vouloir dire*) = What does this mean

<u>œuvres d'art</u> = works of art; here: paintings (see page 69)

<u>peintures</u> = paintings (see page 69)

<u>ne s'étaient jamais posée</u> (imperfect of *se poser*) = had never asked themselves

---

Mais <u>peu à peu</u>, elles comprennent que Victor Hugo est un homme simple, humain et tolérant. Elles sont moins timides. Si <u>je me réveille</u> la nuit, je peux <u>entendre</u> leurs conversations. Elles sont souvent intéressantes.

Le tableau <u>rempli de bottes de foin</u>, qui symbolise l'été et qui est placé juste à côté de celui de l'écrivain, est très <u>ému</u> parce que Victor Hugo lui a dit : "L'été qui <u>s'enfuit</u> est un ami qui part."

<u>peu à peu</u> = little by little

<u>je me réveille</u> (*se réveiller*) = I wake up

<u>entendre</u> = to hear; not to be confused with *écouter*, which means to listen

<u>rempli de bottes de foin</u> = full of haystacks

<u>ému</u> = moved

<u>s'enfuit</u> (*s'enfuir*) = ends (*s'enfuir* usually means "to flee")

VOCABULARY

When "to visit" doesn't translate by *visiter*

Most non-French speakers have a tendency to systematically use the verb *visiter* in the same way as "to visit" in English. But it is important to know that the use of this verb in French is totally different depending on whom, or what, you're going to visit. On page 63 you can see its proper use: *visiter* is mainly used when you visit a museum, a city, a country or a site where, most of the time, you've never been yet.
But it is never used when you visit somebody.
In such cases, as on page 67, you would say *rendre visite à*, which is the most polite and formal way to say it, and can also be translated by "to pay a visit to." However, it can be a little formal and most French people would say: *aller voir, passer voir* (to go see) someone.
Example: *Une fois que tu as visité le musée du Louvre, tu auras le temps de passer/venir me voir ?* = Once you've visited the Louvre museum, will you have time to visit me?
It is easier with the word *visiteur*, that has exactly the same meaning as "visitor" in English. *Un visiteur* can visit someone, as on page 70, or a place: *les visiteurs du musée...*

Le tableau explique à ceux qui n'ont pas compris que c'est pour cette raison qu'il reste tout le temps au mur. Il ne veut pas voir partir ses amis.

ceux qui n'ont pas compris = those who haven't understood
c'est pour cette raison = this is why

Ces dernières nuits, Victor Hugo a commencé à sortir de son cadre et à rendre visite aux autres toiles. Il s'assoit sur les rochers des peintures de mon père. Il prend dans ses mains le petit visage rose qui apparaît entre les pierres. Il monte sur le bateau des pêcheurs prêts à partir en mer. Il regarde tomber des feuilles d'or d'un arbre invisible.

> Ces dernières nuits = The last few nights
> cadre = frame
> rendre visite = to visit (see page 66)
> Il s'assoit (s'asseoir) sur les rochers = He sits on the rocks/large stones
> visage = face
> monte (monter) sur = climbs on
> pêcheurs = fishermen
> feuilles d'or = golden leaves

Mais toutes les toiles ont compris que le tableau préféré de Victor Hugo, qui est dans ma chambre, est un portrait.

C'est le visage d'une femme inconnue, de profil, dessiné par mon grand-père. Elle est d'une grande beauté. Je ne sais pas qui elle est, mais elle ne ressemble pas du tout à ma grand-mère.

> préféré = favorite; note than favori exists in French but it is much less used than préféré in common language
> de profil = in profile
> dessiné (dessiner) = drawn (see page 69)
> elle ne ressemble (ressembler) pas du tout = she doesn't look at all like

Quand Victor Hugo s'approche d'elle, les autres tableaux <u>se</u> <u>font discrets</u> pour <u>le laisser tranquille</u>. Parfois, il parle à voix basse à la femme du <u>dessin</u>, mais je ne comprends pas ce qu'il lui dit.

> <u>se font</u> (*faire*) <u>discrets</u> = keep a low profile; lit: make themselves discreet
> <u>le laisser tranquille</u> = to leave him in peace
> <u>dessin</u> = drawing (see page 69)

Il est minuit. <u>Je viens de me réveiller</u>. Victor Hugo est là, dans ma chambre, <u>face au</u> portrait, qu'il <u>fixe</u> longuement <u>des yeux</u>.

> <u>Je viens</u> (*fixer*) <u>de me réveiller</u> = I just woke up
> <u>face au</u> (*à*) = facing, in front of
> <u>fixe</u> (*fixer*) <u>des yeux</u> = stares

© *Portrait by Paul Roulet*

VOCABULARY

Paintings: The various ways to say it in French

**In French, the word "painting" can be translated
into several different words**

The word *peinture*, as seen on page 65, would appear
to be the most common, but the French have a tendency
to use *tableau* more frequently. You can read it on page 63
and elsewhere in this story. Another word, that is a little
less commonly used is *toile*, as on page 64 and later on in
the story. Actually, *toile* really means "canvas," and shouldn't
be used for painting on another material, such as wood.
Note that both *peinture* and *toile* are feminine, while
tableau is masculine, which may be confusing. Example:
– *J'adore <u>ce</u> tableau, <u>il</u> est magnifique !*
– *Oui, c'est <u>la</u> plus <u>belle</u> peinture/toile de l'expo/exposition.* =
–I love this painting, it is magnificent!
–Yes, it is the most beautiful painting of the exhibit.

Something else that is interesting to know is that the French
never use the word *art* alone in the same way as it is used in
English. They would rather say *une oeuvre d'art,*
which literally means "a work of art", as you can see
on page 65. Another example:
Mes amis décorent leur maison de belles œuvres d'art. =
My friends decorates their house with beautiful art.

Note that *un dessin* (masculine) means "a drawing"
and the verb *dessiner* "to draw", as seen on page 68.

Mais la femme ignore sa présence. Elle ne tourne pas son visage vers lui. Elle semble <u>plongée dans ses pensées</u>.

Je voudrais essayer d'intervenir, de la convaincre de regarder son <u>visiteur</u>. Mais je ne peux pas. Par principe je laisse les <u>personnages</u> des tableaux faire ce qu'ils veulent. <u>La nuit leur appartient</u>.

<u>plongée dans ses pensées</u> = deep in thought
<u>visiteur</u> = the person who came to visit her, to try to have a chat with her in this context (see page 66)
<u>personnages</u> = characters (see also page 39)
<u>La nuit leur appartient</u> (*appartenir*) = The night belongs to them (the paintings)

Victor Hugo <u>se penche vers elle</u>. Il <u>lui chuchote</u> quelque chose. <u>Je crois entendre</u> : "Mon cœur est <u>à toi</u>, mon cœur est avec toi." Et il ajoute : "<u>T'aimer, c'est vivre</u>." Il <u>se redresse</u>. Il la regarde encore pendant un long moment. Puis <u>émet un soupir</u>, et retourne dans son cadre.

□

<u>se penche</u> (*se pencher*) <u>vers elle</u> = leans towards her (the woman in the drawing)
<u>lui chuchote</u> (*chuchoter*) = whispers to her
<u>Je crois</u> (*croire*) <u>entendre</u> = I think that I hear
<u>à toi</u> = yours
<u>T'aimer, c'est vivre</u> = To love you is to live; note that the quotes in parenthesis in this short story are all excerpts from Victor Hugo's writings or letters
<u>se redresse</u> (*se redresser*) = stands up
<u>émet</u> (*émettre*) <u>un soupir</u> = sighs

A cultural note

Victor Hugo, a mentor for many French people

Les Misérables and *The Hunchback of Notre-Dame* (*Notre-Dame de Paris* in French) made Victor Hugo (1802-1885) probably the most famous French writer worldwide. But for the French, he is much more. His thoughts, his convictions, his battles, all throughout his long life, are still very popular, quoted and taken as examples all over France. His love stories are well-known and some of his love letters have been widely published. His poems are also very popular. I remember my father reciting to me the poems he liked the most, such as *Après la bataille* (After the battle) that moved him so much. Even my mother, who had to quit school at 12 years old to work in a silk factory and help out her family, knew several poems by heart. Her favorite was *Lorsque l'enfant paraît* (When the child appears). Hugo's theatre is not so popular, except *Ruy Blas* or *Hernani*. This is why for his Ph.D thesis, my husband Roger chose the theatre of Victor Hugo as the theme of his dissertation, that he found particularly interesting.

For French people, Victor Hugo is also seen and remembered as a resistant, a strong political figure, a defender of the poor and a fighter for most pressing social causes, and also as a lover, a romantic figure, a father, a grand-father and an artist of many talents. A visit to his previous house in La Place des Vosges in Paris is a living testimony of his very original art and personality.

The French have such a strong image of him that we can even say that, for many, he is, or has been at a certain moment of their life, their guide, their reference, their mentor.

QUESTIONS

Un portrait de Victor Hugo est nouveau.
Cette histoire se passe dans un appartement

1. Où se passe cette histoire, et qu'est-ce qui est nouveau ?
2. Comment réagissent les tableaux ? *p.132*
3. Quelle est l'attitude de Victor Hugo ?
4. Quel est l'œuvre d'art qu'il préfère ? *Il préfère le portrait*
   d'une femme.
5. Que se passe-t-il à la fin de l'histoire ?
   Il dits des mots amoreux a cette feemme.
   Elle ne reponds pas donc il retourne dans

VRAI OU FAUX ? *son cadre.*

1. Dans cette histoire, Victor Hugo est une peinture. *T*
2. La maison où elle est exposée est un musée. *F*
3. Les tableaux ont des discussions intéressantes entre eux depuis que Victor Hugo est là. *T*
4. Les tableaux dorment la nuit. *F*
5. Victor Hugo est amoureux. *T*

(Answers page 132)

Il est gentil, humain et tolérant. Il va visiter les autres tableaux tout le temps.

7. UNE LETTRE MANUSCRITE

 Listen to the story, and read it out loud:

C'EST À PEINE MIDI. Depuis qu'elle ne peut plus voyager, Marie trouve les journées terriblement longues. L'agence de voyage pour laquelle elle travaillait avant la pandémie de Co-vid-19 a fermé ses portes, temporairement ou définitivement, qui pourrait le dire ? Marie reçoit des allocations de chômage mais ça lui manque beaucoup de ne pas voyager.

Depuis qu' (*que*) = Since
pour laquelle = for which
a fermé (passé composé of *fermer*) ses portes = has closed the business
qui pourrait (conditional of *pouvoir*) le dire = who could say it; meaning: who would know
allocations de chômage = unemployement benefits
ça lui manque (*manquer*) beaucoup de ne pas voyager = she misses a lot not being able to travel (see page 75)

Elle <u>se prépare un thé</u>. Pendant que l'eau chauffe, elle va chercher le courrier.

Dans la boîte aux lettres, il y a une enveloppe blanche. Elle l'ouvre. À l'intérieur, une lettre <u>manuscrite</u>, très courte. Elle est signée Marc Dupuy. Marie ne connaît pas ce nom. Elle lit la lettre lentement et <u>pousse un cri</u> de surprise. "Quoi ?"

<u>se prépare</u> (*se préparer*) <u>un thé</u> = makes a cup of tea for herself (see page 77)
<u>manuscrite</u> = handwritten
<u>pousse</u> (*pousser*) <u>un cri</u> = cries out, shouts

Elle prend son <u>téléphone portable</u>.
– Allô ! Oui ça va, merci. Mais tu sais <u>ce qui m'arrive</u> ?...
Marie lit la lettre à Nadia, son <u>ex-copine</u>. Elles ne vivent plus ensemble depuis près de deux ans mais elles sont restées très proches.
– Tu viens ? Merci ! <u>Je t'attends</u>.

<u>téléphone portable</u> = cellphone
<u>ce qui m'arrive</u> (*arriver*) = what's happening to me
<u>ex-copine</u> = ex-girlfriend
<u>Je t'attends</u> (*attendre*) = I'll wait for you

VOCABULARY

Manquer, A verb that doesn't lack complexity

It is one of those verbs that you can't explain by simply
translating it into English. Using it requires
being familiar with a few strange grammar rules.
As you can see on page 73, the main meaning
of *manquer* is "to miss" or "to lack" but the way to express it
in French is inverted. When you say "I miss my kids,"
the French say *Mes enfants me manquent*, which
literally means: My kids are lacking to me.
While if you want to say that your kids miss you, it would
be: *Je manque à mes enfants* (lit.: I am lacking to my kids).

However, if it is the train, or an appointment, that you
missed, you say it the same way in English and French:
J'ai manqué* le train. = I missed the train.

Another example when "manquer" is translated as to lack is:
Ce jeune homme manque d'expérience. =
This young man lacks experience.

Manquer also means: to run out (of something):
Ils manquent de tout ici ! = They have run out
of everything here!

---

*But nowadays the French use much more the verbs *rater*
(very commonly used) and *louper* (a bit more familiar)
when they miss a train or a plane.

Cette lettre envoyée par un homme inconnu lui apprend que son père est mort. Elle n'a jamais connu son père mais elle ressent quand même un peu de tristesse. Elle se demande qui est cet homme qui lui a écrit, et pourquoi ce n'est pas sa mère, Hélène, qui lui a annoncé la nouvelle.

Elle se demande (*se demander*) = She wonders (see page 77)
qui lui a écrit (passé composé of *écrire*) = who has written to her

---

Mais ce n'est pas vraiment une surprise. Sa mère ne lui parle plus depuis qu'elle a fait son coming out. Et, de toute façon, elle n'a jamais été gentille ou affectueuse avec elle. Peut-être parce qu'elle n'avait pas aimé Lucien, le père de Marie, qui était parti peu après sa naissance. Marie n'a jamais su où il était et ce qu'il faisait, sa mère avait complètement effacé de sa vie son premier mari. Mais ne pas lui dire qu'il était mort ! La jeune femme n'en revient pas.

---

elle a fait (passé composé of *faire*) son coming out = she (Marie) came out; a good example of the way the French adapt English words (voir aussi page 19)
de toute façon = anyway, in any case
effacé de sa vie = erased from her life
La jeune femme n'en revient (*en revenir*) pas = The young woman (Marie) can't get over it

---

--- GRAMMAR TIP---

How to use the reflexive verbs?

In this short story, on page 74, you can read:
Elle se prépare un thé. = She makes a tea for herself.
Se préparer, which also means "to get ready" is one
of the many reflexive verbs used by the French.
Called *verbes pronominaux* or *verbes réfléchis*, these verbs
are often used to talk about your daily activities at home:
se lever (to get up), *se doucher* (to take a shower),
se raser (to shave), *se coucher* (to go to bed), etc.
They are also used to talk about many other things
relating to yourself or your life: *s'intéresser à* (to be
interested in), *s'entendre* (to get along), *se demander*
(to wonder, as on page 76), *s'amuser* (to have fun), etc.
You can see many such verbs throughout this book.
It is important to know that reflexive verbs need an
additional pronoun (*me, te, se, nous, vous*). These
pronouns are translated like this: *me/m'* = myself; *te/t'* =
yourself; *se/s'* = oneself, himself, herself, themselves;
nous = ourselves, *vous* = yourself. Examples:
Je m'inquiète toujours trop. = I always worry too much.
Tu t'es douchée ? = Did you shower?
Nous nous sommes bien amusées. = We had a lot of fun.

Note that many of these verbs can be used in a normal,
non reflexive way. For example:
Je me promène. = I take a walk.
Je promène le chien. = I walk the dog.

Nadia est arrivée. Ensemble elles relisent la lettre. Marie laisse éclater sa colère contre sa mère. Non seulement elle ne lui a pas dit que son père était mort, il y a presque un mois dé-jà, mais elle n'a même pas donné ses coordonnées au notaire !

En effet, dans sa lettre à Marie, Marc Dupuy explique qu'un notaire avait écrit à Hélène parce qu'il voulait joindre sa fille pour une information importante.

---

laisse éclater sa colère = explodes in anger

Non seulement = Not only

coordonnées = contact details

notaire = notary, attorney: in France it is the person, who, among other tasks, is in charge of dealing with inheritance matters

En effet = As a matter of fact

joindre = to reach, get in touch with

© Alina Vilchenko from Pexels

Nadia cherche "Marc Dupuy" sur les réseaux sociaux. Elle surfe un peu et trouve des photos de lui avec Hélène.
– Ce doit être son nouveau copain, dit Marie. Je ne le connais pas celui-là.

> surfe (*surfer*) = surfs/browses (on the web)
> des photos de lui avec Hélène = pictures of him (Marc Dupuy) with Hélène
> Ce doit (*devoir*) être son nouveau copain = He must be her new boyfriend
> celui-là = that one

– Probablement. Mais il est sympa de t'avoir écrit. Il a compris que ta mère ne t'avait rien dit, et il a trouvé ce moyen de te donner discrètement le numéro de téléphone du notaire.

> sympa = nice, kind
> il a trouvé ce moyen = he has found this way

Le lendemain, Marie apprend du notaire qu'elle a hérité d'une belle et grande maison dans la région de Vérone, en Italie, et d'un vignoble.

Son père était en Italie ?! Elle aurait tellement aimé aller le voir ! Marie se met à pleurer. Puis peu à peu le chagrin laisse place à l'espoir, et à l'anticipation.

– Alors, tu es prête à aller à Vérone ? lui demande Nadia, quand Marie s'est remise de sa surprise.

Marie la regarde en souriant :

– Oui, mais tu viens avec moi !

☐

Le lendemain = The following day
apprend (*apprendre*) du notaire = learns from the notary
elle a hérité (passé composé of *hériter*) = she has inherited
vignoble = vineyard
tu es prête à aller = are you ready to go
s'est remise (passé composé of *se remettre*) = got over

QUESTIONS

L'agence de voyage est fermée maintenant donc Marie est au chômage

1. Qu'est-ce qui a changé dans la vie de Marie ?
2. Que lui annonce la lettre qu'elle a reçue ? *La lettre lui annonce que son père est mort*
3. Qui vient la rejoindre ? *Nadia, son ex-copaine*
4. Quelle relation Marie a-t-elle avec sa mère ?
5. À qui téléphone-t-elle le lendemain, et qu'est-ce qu'elle apprend ? *au notaire qui lui apprend que son père lui a laissé un bel héritage*

VRAI OU FAUX ?

1. Marie n'aime pas voyager. *F*
2. Elle ne connaît pas Marc Dupuy. *T*
3. Nadia est sa sœur. *F*
4. Hélène est très proche de sa fille. *F*
5. Marie ne connaît pas son père. *T*

(Answers page 133)

La relation est très mauvais depuis Marie a fait son coming out.

8. MACHINES INFERNALES

 Listen to the story, and read it out loud:

J'AI TOUJOURS SU que faire de la gym dans un club ou un gymnase, ce n'était pas pour moi. Mais je ne savais pas <u>à quel point</u> la gymnastique et moi étions incompatibles. Les machines des salles de gym, pour être plus précise.

Tout a commencé après quelques jours d'<u>abonnement</u> dans un club où <u>je m'étais inscrite malgré mes réticences</u>. Je pensais que cela m'aiderait à <u>avoir la forme</u>. De suite, j'ai été choquée par la <u>laideur</u> du décor, et ai trouvé les machines franchement <u>antipathiques</u>.

<u>à quel point</u> = to what extent
<u>abonnement</u> = membership
<u>je m'étais inscrite</u> (past perfect of *s'inscrire*) <u>malgré mes réticences</u> = I had signed up in spite of my reluctance
<u>avoir la forme</u> = to be fit, in shape
<u>laideur</u> = ugliness
<u>antipathiques</u> = unfriendly

Un matin, l'une d'entre elles a tout simplement pris l'initiative de m'expulser. Elle semblait pourtant relativement sympa. C'était un tapis de course, même si je ne voulais pas m'en servir pour courir. Marcher me paraissait un effort largement suffisant.

---

l'une d'entre elles = one of them
m'expulser = to eject me
sympa (*sympathique*) = nice
tapis de course = treadmill
même si = even if
m'en servir = to make use of it
largement suffisant = quite sufficient

J'ai bien vu qu'elle n'était pas enthousiaste quand je lui ai suggéré de marcher assez vite mais pas trop, en ligne droite, sans effort. Et elle a paru très vexée quand j'ai refusé qu'elle mesure mon rythme cardiaque ou enregistre mon évolution.

Bref, j'ai senti qu'elle commençait à me détester, un sentiment réciproque évidemment.

J'ai bien vu (passé composé of *voir*) = I could see clearly
pas trop = not to much; not too quickly in this context
elle a paru (passé composé of *paraître*) très vexée = it seemed very offended
rythme cardiaque = heart rate
enregistre (*enregistrer*) = records
Bref = In short
me détester = to hate me
évidemment = obviously (see also page 121)

Idiomatic expressions to use when you're mad at someone

In this short story we can see that the relationship between the woman and the machines isn't so good. They are mad at each other. This is something the French are very good at: expressing anger or frustration. Many expressions are useful to know if you meet angry French people under any circumstance! Some are very colorful. Here are just a few of them:

—*Voir rouge* = This one is easy at it is exactly the same as the English: "to see red."

—*Se fâcher tout rouge* (lit.: To be red angry) = To be really angry, to lose it, to blow your top...

—*Entrer dans une colère noire* (lit.: To enter into a black anger) = To become very angry, to become enraged.

—*Piquer une colère* = To throw a fit of anger.

—*Sortir de ses gonds* (lit.: To fly off one's hinges) = To fly off the handle, to blow a fuse.

—*Prendre la mouche* (lit.: To take the fly — the insect) = To get ticked off easily.

—*Avoir la moutarde qui monte au nez* (lit.: To get mustard up your nose) = To lose your temper.

—*Avoir une dent contre quelqu'un* (lit.: To have a tooth against somebody) = To have a grudge against somebody.

—*Se regarder en chiens de faïence* (lit.: To look at each other like china dogs) = To be on hostile terms.

Lorsque j'ai voulu retirer ma veste de jogging, elle n'a pas pu résister. Elle l'a fait tomber (exprès, je suis sûre). Puis elle m'a déséquilibrée et littéralement expulsée avec force vers l'arrière. Je suis tombée brutalement sur les deux genoux. Le tapis au sol est si dur que je me suis fait très mal, et pendant plusieurs semaines il m'était difficile de marcher normalement.

---

veste de jogging = tracksuit jacket
Elle l'a fait tomber (*faire tomber*) = it make it fall (the treadmill made my jacket fall)
exprès = on purpose
m'a déséquilibrée = threw me off balance
genoux = knees
Le tapis au sol = The carpet on the floor
je me suis fait très mal = I hurt myself badly

Il n'y avait pas que le tapis de course qui était agressif. Quand je suis retournée à la gym (j'avais payé l'abonnement pour trois mois, je ne voulais pas tout perdre), c'est la machine pour faire des abdos qui m'a attaquée. Alors que j'essayais de changer la hauteur du siège, une grosse et lourde pièce de métal s'est jetée sur mes doigts. Heureusement je les ai retirés à temps.

Il n'y avait pas que = It was not only
abdos (*abdominaux*) = abdominal exercises
Alors que = While
la hauteur du siège = the height of the seat
s'est jetée sur mes doigts = threw itself on my fingers

Et ça a continué pendant tout le temps de mon abonnement, malgré mes rares tentatives d'apprivoiser deux ou trois machines. Aucun espoir. Elles s'étaient passé le mot et avaient bien compris que je ne les aimais pas.

C'est comme pour les chiens. Ils savent reconnaître les gens qui les aiment. Avec moi, les chiens ont toujours su que je les adorais. Mais qui aimerait ces énormes structures métalliques grises, froides, sadiques, qui ont pour seul plaisir de vous faire souffrir ? J'ai renoncé et n'y suis jamais retournée.

---

malgré = in spite of

tentatives = attempts

apprivoiser = to tame

Elles s'étaient passé (past perfect of *se passer*) le mot
= They had passed the word between themselves

C'est comme pour = It's the same for

qui aimerait (conditional of *aimer*) = who would like

J'ai renoncé (passé composer of *renoncer*) = I gave up

© Amanjot AJS from Pexels

À l'époque, j'avais commencé à <u>sortir avec</u> un homme de mon âge que je trouvais assez sympa. Je ne savais pas encore qu'il était passionné d'<u>haltérophilie</u> et autres sports <u>impliquant</u> des machines infernales (les hommes savent bien <u>cacher ce genre de choses</u> au début d'une relation). Mais quand j'ai découvert dans son garage un énorme tapis de course, dont il semblait très <u>fier, c'était fini entre nous</u>.

<u>sortir avec</u> = to go out with
<u>haltérophilie</u> = body building
<u>impliquant</u> (*impliquer*) = involving
<u>cacher ce genre de choses</u> = to hide such things
<u>fier</u> = proud
<u>c'était fini</u> (past perfect of *finir*) <u>entre nous</u> = it was over between us

Quelque temps après, je me suis mariée avec un autre, <u>qui a su m'aider</u> à <u>retrouver la forme</u> <u>en me faisant plaisir</u>. Le seul sport qu'il pratique est de <u>promener son chien</u> à la campagne.

□

<u>qui a su</u> (passé composé of *savoir*) <u>m'aider</u> = who knew how to help me
<u>retrouver la forme</u> = to get in shape again
<u>en me faisant plaisir</u> (*faire plaisir*) = while making me happy
<u>promener son chien</u> = to walk his dog

#2. p. 134

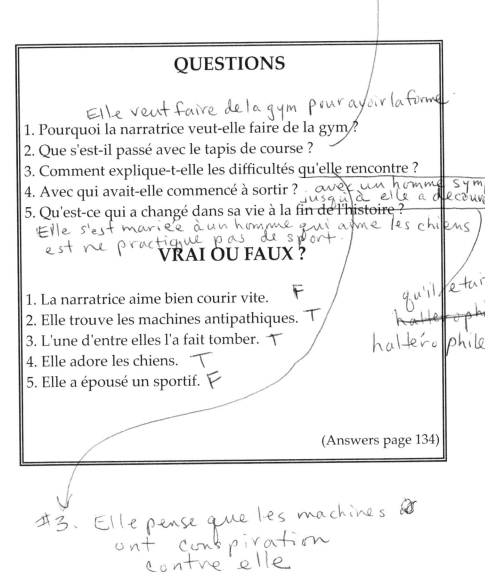

QUESTIONS

Elle veut faire de la gym pour avoir la forme

1. Pourquoi la narratrice veut-elle faire de la gym ?
2. Que s'est-il passé avec le tapis de course ?
3. Comment explique-t-elle les difficultés qu'elle rencontre ?
4. Avec qui avait-elle commencé à sortir ? *avec un homme sympa jusqu'à elle a découver*
5. Qu'est-ce qui a changé dans sa vie à la fin de l'histoire ?

Elle s'est mariée à un homme qui aime les chiens est ne practique pas de sport.

VRAI OU FAUX ?

1. La narratrice aime bien courir vite. *F*
2. Elle trouve les machines antipathiques. *T*
3. L'une d'entre elles l'a fait tomber. *T*
4. Elle adore les chiens. *T*
5. Elle a épousé un sportif. *F*

qu'il était halterophit haltéro phile

(Answers page 134)

#3. Elle pense que les machines ont conspiration contre elle

9. MON MAI 68

 Listen to the story, and read it out loud :

J'ÉTAIS <u>ASSEZ PRÈS DU PONT</u>, mais un peu <u>à l'écart</u> de la <u>foule</u>. <u>Malgré</u> l'<u>obscurité</u> et les <u>gaz lacrymogènes</u>, je discernais la silhouette d'un gros <u>camion</u>. Je ne savais pas ce qu'il faisait là. Soudain des <u>hurlements</u>, des <u>bousculades</u>, et la <u>débandade</u>. Quelque chose de grave <u>avait dû se passer</u>.

<u>assez près du pont</u> = quite close to the bridge
<u>à l'écart</u> = away from
<u>foule</u> = crowd
<u>Malgré</u> = In spite of
<u>obscurité</u> = darkness
<u>gaz lacrymogènes</u> = tear gas
<u>camion</u> = truck
<u>hurlements</u> = yells
<u>bousculades</u> = pushing and shoving
<u>débandade</u> = rout
<u>avait dû</u> (past perfect of *devoir*) <u>se passer</u> = had probably happened

---

Sans <u>réfléchir</u>, <u>j'ai pris mes jambes à mon cou</u>, <u>m'enfuyant</u> vers la rue Grenette, seule <u>issue</u> possible.

> <u>réfléchir</u> = to think about
> <u>j'ai pris</u> (passé composé of *prendre*) <u>mes jambes à</u>
> <u>mon cou</u> = I ran for my life; lit.: I took my legs to my
> neck, an idiomatic expression
> <u>m'enfuyant</u> (*fuir*) = fleeing
> <u>issue</u> = way out, exit

Rue Mercière, une porte ouverte. Je me suis sentie littérale-ment <u>happée</u>, et <u>entraînée vers la salle du fond</u>, une sorte de bar. <u>Il m'a fallu</u> un bon moment pour <u>reprendre mon souffle</u>. Et comprendre où j'étais. Je n'avais pas encore <u>remarqué</u> la <u>te-nue vestimentaire</u> <u>des dames qui occupaient les lieux</u>, en com-pagnie de deux ou trois hommes.

> <u>happée</u> = grabbed
> <u>entraînée vers la salle du fond</u> = dragged towards
> the room in the back
> <u>Il m'a fallu</u> (passé composé of *falloir*) = I needed
> <u>reprendre mon souffle</u> = to catch my breath again
> <u>remarqué</u> = noticed
> <u>tenue vestimentaire</u> = outfit
> <u>des dames qui occupaient les lieux</u> = of the women
> who were there, inside this place (see also page 103)

J'étais dans <u>une maison de passe</u>. Je ne venais pas souvent dans ce <u>quartier</u> <u>réputé</u> "dangereux". Autour de moi, des <u>regards</u> attentifs, presque maternels. "<u>Ne vous inquiétez pas</u>, vous êtes en sécurité ici", m'a dit une femme aux cheveux rouges, vêtue d'une très courte robe noire.

<u>une maison de passe</u> = a brothel
<u>quartier</u> = neighborhood
<u>réputé "dangereux"</u> = renowned for being "dangerous"
<u>regards</u> = glances
<u>Ne vous inquiétez pas</u> (imperative of *s'inquiéter*) = Don't worry

© DR Lyon Pus

Juste après, des <u>CRS</u> sont entrés à grand bruit dans la salle principale. Les hommes sont allés leur parler.

– Non, on n'a pas vu de <u>manifestants</u>. <u>Qu'est-ce qu'ils feraient ici ?</u>

Une jeune fille m'a pris la main en disant :

– Tout va bien. On a l'habitude des <u>descentes de police</u> !

Les CRS sont repartis, mais tout le quartier était <u>encadré</u>, je ne pouvais pas sortir.

<u>CRS</u> (compagnie républicaine de sécurité) = special mobile French riot policemen
<u>manifestants</u> = demonstrators
<u>Qu'est-ce qu'ils feraient</u> (conditional of *faire*) <u>ici ?</u> = What would they be doing here?
<u>descentes de police</u> = police raids
<u>encadré</u> = surrounded (by the police)

Il était déjà <u>très tard</u> dans la nuit. Une femme plus âgée m'a servi un repas, une boisson. J'étais un peu <u>gênée</u> car je n'avais pas d'argent. Je n'avais pas de <u>sac, rien avec moi</u>. Mais comment refuser ? Puis les femmes ont commencé à me poser toute une série de questions sur les <u>raisons</u> des manifestations.

<u>très tard</u> = very late
<u>gênée</u> = confused, embarrassed
<u>sac</u> = handbag
<u>rien avec moi</u> = nothing with me (no papers, cash, etc.)
<u>raisons</u> = motives

A cultural note

May 68 in France

What the French call *Mai 68* was a rebellion that took place all over the country from May 2 to June 23, 1968, when Charles de Gaulle was the President of France. It was a sudden revolt against traditional institutions and consumerism that began among students on the campus of the University of Paris at Nanterre. Very soon, it mushroomed into a national leftist movement involving students all over the country as well as factory workers, public employees, educators, immigrant workers, taxi drivers, feminists and LGBT claiming sexual liberation and rights. Not only all the schools, universities and factories were closed but the economy of the country was almost totally paralyzed by this general strike. The most vivid images of this movement are of students staging sit-ins, chanting slogans, such as *"Libérez nos camarades !"* (Free our comrades) and *"C'est interdit d'interdire!"* (It's forbidden to forbid) and hurling cobblestones at the hated CRS riot police. But the underlying theme that motivated students and workers alike was that of speaking out and up and giving a voice to the voiceless in an expression of indignation over social inequalities and injustices in the hierarchical society. The revolt didn't result in substantive transformations in France but it had a long-standing impact on the French tendency of resisting and has even resulted in a complete change in philosophical thinking. The anecdote in this short story, that took place in Lyon on May 28, 1968, is true, as well as the accidental death of the police captain René Lacroix on the Pont Lafayette.

J'ai vu qu'elles ne comprenaient pas. J'ai alors essayé de tout leur expliquer, les grands idéaux, les raisons de la révolte, la lutte contre les inégalités... Des explications qui n'ont d'abord obtenu pour réponse que de longs silences.

> les grands idéaux = the grand ideals and dreams
> lutte = struggle

Ce n'est que longtemps après qu'une des femmes, d'une voix très douce, m'a demandé :
– Mais, et vos études ? Vous n'allez pas les gâcher ? Vous savez, si moi j'avais pu aller à l'école...
– Oh, moi aussi ! Étudier à l'université, c'était mon rêve...
Elles n'en ont pas dit plus, restant discrètes, presque pudiques. Mais j'ai compris qu'il pouvait exister d'autres vérités. J'ai senti combien j'étais privilégiée de pouvoir suivre des études supérieures, et j'ai eu presque honte.

> Vous n'allez pas les gâcher = You aren't going to waste them
> si moi j'avais pu (past perfect of *pouvoir*) = if I had been able (meaning: if I have had the chance)
> Elles n'en ont pas dit (passé composé of *dire*) plus = They didn't say anymore (about this)
> presque pudiques = almost prudish
> il pouvait (imperfect of *pouvoir*) exister d'autres vérités = other truths (ways of thinking) were possible
> j'ai eu presque honte (passé composé of *avoir honte*) = I was almost ashamed

Les CRS enfin partis, je les ai quittés au petit matin, après un café. J'ai alors appris qu'un commissaire de police avait été tué ce soir-là par un camion lancé à reculons par les manifestants, qui ne savaient pas que ce policier se trouvait derrière.

> un commissaire de police avait été (past perfect of être) tué = a police captain had been killed
>
> un camion lancé à reculons = a truck pushed backwards
>
> ne savaient (imperfect of savoir) pas = didn't know
>
> se trouvait (imperfect of se trouver) derrière = was behind (the truck)

Je suis revenue le jour même à la maison de passe pour rembourser repas et boissons. Mais je me suis heurtée à un refus catégorique. J'avais été leur invitée.

□

> Je suis revenue (passé composé of revenir) le jour même = I came back the same day
>
> Je me suis heurtée (passé composé of se heurter) à = I was faced with
>
> J'avais été (past perfect of être) leur invitée = I had been their guest

QUESTIONS

L'histoire se situe à l'époque des révoltes de Mai 68 – soixante-huit

1. À quelle époque se situe cette petite histoire ? *Elle s'enfuit*
2. Que fait la narratrice au début ? *Pour ne pas être attrapée par des policiers.*
3. Où entre-t-elle ?
4. Que lui disent les femmes pendant la nuit ?
5. Quel événement s'est passé cette nuit-là ?

VRAI OU FAUX ?

1. La narratrice est une manifestante. *T*
2. Elle se fait attraper par la police. *F*
3. Elle est accueillie par des étudiantes. *F*
4. Les policiers encadrent tout le quartier. *T*
5. Elle doit payer ses repas et boissons. *F*

(Answers page 135)

#3. Elle entre dans une maison de passe.

#4. Les femmes lui disent qu'elles regrettent de ne pas avoir pu suivre d'études

#5. Un commissaire de police a été tué par un camion sur le pont Lafayette.
+ p. 135 sentence 2

10. COVID-29, 1ère partie

 Listen to the story, and read it out loud :

RÉGINE N'EN PEUT PLUS d'être confinée. Le virus Covid-29, le tout dernier, est encore plus violent que les précédents, qui se sont succédé chaque année depuis le Covid-19 qui a changé le mode de vie de tous les habitants de la planète. Le gouvernement a décidé que les personnes habitant dans des résidences pour personnes âgées, les plus vulnérables, ne pourraient plus sortir à l'extérieur, ni recevoir de visite.

Régine n'a plus jamais de visite mais elle aimait bien l'animation quand ses voisines recevaient de la famille.

---

n'en peut (*pouvoir*) plus = can't take it anymore
se sont succédé (passé composé of *se succéder*) = came one after another
depuis = since
habitant (present participle of *habiter*) = living; note that the noun *habitant* means: "inhabitant" (see also page 27)
résidences pour personnes âgées = retirement homes
plus jamais = never again

Le directeur a même <u>fermé à clef</u> l'accès aux étages des résidents en bonne santé, comme pour ceux qui sont atteints d'Alzheimer, et la <u>salle commune</u> est fermée. Le seul être humain que Régine voit de temps en temps est la femme qui <u>livre</u> les repas et <u>fait le ménage</u>. Ou <u>plutôt</u> elle ne voit que ses yeux car elle est habillée comme une astronaute.

<u>fermé à clef</u> = locked; *clef* (key) can also be written *clé*
<u>salle commune</u> = main room shared by residents for chatting, doing activities, watching TV, etc.
<u>livre</u> (*livrer*) = delivers
<u>fait le ménage</u> = does the cleaning
<u>plutôt</u> = rather

– <u>Dites-moi</u>, je ne peux pas <u>faire un tour</u> pour <u>me dégourdir les jambes</u> ?
– Vous rêvez ?! C'est trop dangereux. Restez bien dans votre chambre, là vous ne risquez rien.
– Même pas dans le <u>couloir</u> ?
   Pour Régine, c'est "le <u>couloir de la mort</u>."

<u>Dites-moi</u> (*dire*) = an informal way of getting the attention of someone; lit.: tell me
<u>faire un tour</u> = to go for a walk
<u>me dégourdir les jambes</u> = to stretch my legs
<u>couloir</u> = corridor, hallway
<u>couloir de la mort</u> = death row

Mais elle espérait pouvoir <u>faire un petit coucou</u> à ses <u>copines</u>, et peut-être, <u>pourquoi pas</u>, <u>trouver le moyen</u> de sortir du bâtiment.

L'astronaute est déjà partie. Elle n'a pas attendu que Régine <u>lui dise</u> qu'<u>elle s'en fiche complètement</u> du virus, qu'elle n'a peur de rien. En plus, elle a déjà <u>attrapé</u> le Covid-22 et est en principe immunisée. À son âge, elle aimerait seulement <u>profiter</u> encore un peu de la vie, et se sentir libre.

> <u>faire un petit coucou</u> = to say hi; *coucou* is a friendly way to say *bonjour*
> <u>copines</u> = female buddies, friends
> <u>pourquoi pas</u> = why not
> <u>trouver le moyen</u> = to find a way
> <u>lui dise</u> (subjunctive of *dire*) = tells her
> <u>elle s'en fiche</u> (*s'en ficher*) <u>complètement</u> = she cannot care less
> <u>attrapé</u> = caught, contracted
> <u>profiter</u> = to enjoy, to take advantage of

Elle s'assoit devant la fenêtre et regarde le parc où elle aime bien se promener, le <u>banc</u> sur lequel elle flirte de temps en temps avec Jean, le résident sympa du deuxième étage. Le seul qui <u>a encore toute sa tête</u> et qui, comme Régine, est en bonne santé. C'est trop frustrant de ne pas pouvoir aller dehors.

> <u>banc</u> = bench
> <u>a encore toute sa tête</u> = is of sound mind, isn't senile yet

C'est alors qu'elle a une idée : elle a déjà remarqué que la seule partie de la résidence qui est rarement fermée à clef, et qui se trouve au rez-de-chaussée, est l'infirmerie...

C'est alors = This is when
elle a déjà remarqué (passé composé of *remarquer*) = she has already noticed
rez-de-chaussée = ground floor

Le soir-même, un peu avant le crépuscule, elle est là, assise sur un fauteuil roulant. Personne ne s'occupe encore d'elle, le docteur est occupé à soigner les cas plus graves. Elle a prétendu s'être tordu le pied, ce qui n'est pas vraiment une urgence. On ne lui a même pas encore demandé de se déshabiller.

Le soir-même = That very evening
crépuscule = dusk
elle est là = she's here; meaning: in the infirmary, on the ground floor
fauteuil roulant = wheel chair
Personne ne s'occupe (*s'occuper*) encore d'elle = nobody is taking care of her yet (see page 103)
est occupé = is busy (see page 103)
a prétendu (passé composé of *prétendre*) = claimed, said
s'être tordu (*se tordre*) le pied = to have twisted her foot
On ne lui a même pas encore = Nobody has even yet
se déshabiller = to take her clothes off

VOCABULARY

Occuper, s'occuper... A multi-service verb

In this short story, we can see, on page 102, two different meanings of this verb. Here are examples of the main ones, and how *occuper* and its reflexive version are used:

1. *Occuper*
—To occupy: *Elle occupe un poste important dans la société.* = She occupies an important position in the company.
OR: *Les dames qui occupaient les lieux*, like on page 92.
—To be busy, to busy oneself like on page 102 (*le docteur est occupé*). It may also mean "to fill time." Example: *Pendant le confinement, j'ai occupé mon temps à faire des puzzles.* = During the confinement, I filled my time by doing puzzles.

2. *S'occuper*
The first meaning of the reflexive version of this verb is very close to that above: to keep oneself busy (by doing something). *Je me n'ennuie pas, je m'occupe à trier mes photos.* = I'm not bored, I busy myself by sorting my pictures.

2. *S'occuper de*
When followed by the preposition *de*, it means "to take care of/to look after something or somebody," like on page 102: *personne ne s'occupe... d'elle.*
Here is another example: *Cette jeune femme s'occupe beaucoup de sa grand-mère.* = This young woman takes very good care of her grandmother.
An example when you take care of something:
Je m'occupe du dîner. = I take care of (I fix) dinner.

Régine serre contre elle sa <u>trousse de médicaments,</u> dans laquelle elle a caché sa carte de crédit et son téléphone. Elle attend la nuit.

<u>Ça y est,</u> il fait noir dehors. Elle se lève, <u>fait semblant</u> d'aller aux toilettes. <u>S'assurant</u> que personne ne la voit, elle se dirige vers la sortie. La porte s'ouvre. Elle est dehors !

<u>trousse de médicaments</u> = small medicine bag

<u>Ça y est</u> = That's it

<u>fait semblant</u> (*faire semblant*) = pretends, fakes

<u>S'assurant</u> (present participle of *s'assurer*) = Making sure

© João Cabral from Pexels

Elle marche d'un pas rapide vers la grille extérieure. Là, elle se cache en attendant que le passage d'une voiture actionne l'ouverture automatique. Soudain elle sent une présence et sursaute.

– Régine, c'est vous ? N'ayez pas peur, c'est moi, Jean ! Quelle chance que vous soyez là ! Donnez-moi la main.

– Jean ? Comment avez-vous fait ?...

---

pas rapide = quick steps (see page 113)

grille = metal gate

actionne (*actionner*) = activates

sursaute (*sursauter*) = jumps (as she is surprised)

N'ayez (imperative of *avoir*) pas peur = Don't be afraid

que vous soyez (subjunctive of *être*) là = that you're here

Il l'entraîne vers une petite porte le long de la grille dont il fait rapidement sauter le verrou avec un outil. Dehors, une voiture est garée.

– C'est ma fille. Elle va nous emmener quelque part où personne ne nous trouvera. Prête pour l'aventure ?

(à suivre...)

□

---

rapidement = quickly (see page 113)

sauter le verrou = to pick the lock

outil = tool

garée = parked (in the street)

Elle va nous emmener = She's going to take us

QUESTIONS

1. Où est Régine, et quel est l'événement qui est décrit dès le début de l'histoire ?
2. Qu'est-ce qu'elle regrette ?
3. Qui vient lui rendre visite ?
4. Quelle idée a-t-elle un jour ?
5. Que se passe-t-il à la fin de l'histoire ?

VRAI OU FAUX ?

1. Régine a une grande famille.
2. Elle est en bonne santé.
3. Elle a très peur d'attraper le nouveau virus.
4. Elle aime se promener dans le parc de sa résidence.
5. Elle s'est tordu le pied.

11. COVID-29, 2ᵉᵐᵉ partie

 Listen to the story, and read it out loud:

RÉGINE ESSAYAIT DE FUIR sa maison de retraite, où elle était confinée depuis trop longtemps à cause du Covid-29, quand elle a retrouvé Jean, un autre résident, qui s'enfuyait aussi. Ils montent dans la voiture de la fille de Jean, Liane, qui est venue chercher son père.
– Je me suis permis de l'inviter, c'est Régine, ma meilleure amie, elle voulait partir aussi, dit Jean.
– Tu as bien fait ! Bonsoir Régine.
– Bonsoir Madame.
– Appelez-moi Liane ! Installez-vous bien mais enfoncez-vous dans vos sièges pour ne pas vous faire voir. On a encore le temps avant le couvre-feu de 20h, mais il faut faire attention.

---

s'enfuyait (imperfect of *s'enfuir*) aussi = was fleeing too
Je me suis permis (*se permettre*) = I took the liberty
Tu as bien fait (*faire*) = You did well
enfoncez-vous (imperative of *s'enfoncer*) dans vos sièges = sink down in your seats
couvre-feu = curfew

VOCABULARY

Bien faire... Good or bad? It's a matter of context

On page 107 Liane said to her dad: *Tu as bien fait* ! =
You did well! In such case it is a very positive statement.
It is the same when you say:
Ce travail est bien fait. = This work is well done.
But be careful with this expression as it isn't always
so positive. This is what a mother would say to her child
who hurts himself while doing something he wasn't
supposed to: *C'est bien fait (pour toi)* ! =
It serves you right!
This variation is also rather negative:
Ça commence à bien faire ! = This is getting ridiculous!

Après quelques minutes, <u>à voix très basse</u>, Régine demande
à Jean :

– Mais comment vous avez fait... ?

– <u>J'ai lancé une alerte</u> au 2ᵉ étage en prétendant que <u>quelqu'un</u>
était dans un état très <u>grave</u>, et pendant la <u>pagaïe</u> qui a suivi,
j'ai pu sortir très <u>vite</u> et <u>aller me cacher</u> dehors. J'avais prévenu
ma fille, je lui ai confirmé par <u>texto</u> que ça avait marché.

<u>à voix très basse</u> = in a very low voice
<u>J'ai lancé</u> (*lancer*) <u>une alerte</u> = I sounded an alarm
<u>quelqu'un</u> = someone
<u>grave</u> = serious
<u>pagaïe</u> = chaos; the word *chaos* exists also in French
<u>vite</u> = quickly (see page 113)
<u>aller me cacher</u> = go hide
<u>texto</u> = text

– Bravo ! Et pour ouvrir la porte ?

– J'avais caché quelques <u>outils</u>, il y a longtemps.

Il est déjà presque 20h.

– On arrive dans 5 mn, dit Liane.

Régine, qui <u>tremble</u> autant d'anticipation que de peur, <u>n'ose</u> <u>pas</u> demander où ils sont. La voiture se gare le long du <u>trottoir</u> dans une rue <u>sombre</u>.

Régine <u>aperçoit</u> des maisons, mais il n'y a aucune lumière.

– Vous pouvez descendre, ici vous êtes en sécurité, dit Liane.

> <u>outils</u> = tools
> <u>tremble</u> (*trembler*) = shivers
> <u>n'ose</u> (*oser*) <u>pas</u> = doesn't dare
> <u>trottoir</u> = sidewalk
> <u>sombre</u> = dark
> <u>aperçoit</u> (*apercevoir*) = notices, sees

Jean et Régine, entraînés par Liane qui <u>éclaire le chemin</u> avec son téléphone portable, traversent un jardin <u>en friches</u> et entrent dans une maison qui semble <u>en assez bon état</u>.

– Elle a bien été <u>désinfectée</u>.

– Elle est à vous ? demande Régine.

> <u>éclaire</u> (*éclairer*) <u>le chemin</u> = lights the way; *chemin* usually means "path"
> <u>en friches</u> = overgrown, unattended
> <u>en assez bon état</u> = in rather good condition
> <u>désinfectée</u> = sanitized

– Non, <u>elle n'appartient plus à personne,</u> le propriétaire est mort récemment, et il n'avait pas d'<u>héritier</u>. Le <u>maire</u> du village a accepté <u>que je la reprenne</u> pour mon père. Il espère <u>repeupler</u> son village, qui est presque vide maintenant.

La seule chose qu'il vous demande, c'est de <u>replanter</u> le jardin, la rue sera plus plaisante ainsi !

<u>elle n'appartient</u> (*appartenir*) <u>plus à personne</u> = it doesn't belong to anyone anymore

<u>héritier</u> = heir

<u>maire</u> = mayor

<u>que je la reprenne</u> (subjunctive of *reprendre*) = that I take it over, that I assume ownership

<u>repeupler</u> = to repopulate

<u>replanter</u> = to plant again; meaning in this context: to take care of the garden again

---

– Oh bien sûr ! J'adore faire du jardinage, dit Régine. Mais, Liane, comment vous remercier ?...

– Oh <u>je vous en prie</u>, Régine ! Je suis heureuse pour mon père, il ne sera pas tout seul ici. <u>Venez,</u> nous allons préparer ensemble vos chambres. Et on va dîner, <u>j'ai regarni</u> le frigo.

<u>je vous en prie</u> = my pleasure, you're welcome

<u>Venez</u> (imperative of *venir*) = Come

<u>j'ai regarni</u> (passé composé of *regarnir*) = I've restocked

---

Peu après, Régine, pas encore remise de ses émotions, s'inquiète. Elle dit à Jean :
– Si je ne vous avais pas retrouvé dehors, qu'est-ce que je serais devenue ? Où est-ce que je serais allée ?

---

pas encore remise de ses émotions = (who) hadn't yet regained her composture
s'inquiète (s'inquiéter) = worries
qu'est-ce que je serais devenue (past conditional of devenir) = what would have become of me

---

– Eh bien j'étais là ! N'y pensez plus.
– Quelle chance j'ai eu...
– La chance sourit aux audacieux !
– Et maintenant ? Est-ce qu'ils vont partir à notre recherche ? Ils peuvent nous trouver avec nos téléphones.
– On va les désactiver quelque temps. Mais à mon avis ils ont trop à faire.
Quand Régine se réveille le matin, elle a l'impression de vivre un rêve. Elle descend dans la cuisine.

Eh bien = Well
La chance sourit (sourire) aux audacieux = Fortune favors the brave; an idiomatic expression
quelque temps = (for) some time
à mon avis ils ont trop à faire = in my opinion they have too much to do
elle a l'impression = she has the feeling

– Venez prendre un café ! lui dit Jean.

Un vrai café, dans une vraie tasse, <u>comme autrefois</u>, quand...
<u>Des larmes lui viennent aux yeux</u>.

Jean la regarde en souriant. Il lui explique que sa fille est
partie faire des <u>courses</u> pour eux. Puis elle rentrera chez elle
rejoindre sa famille.

– Nous allons réapprendre à vivre. <u>Il est grand temps</u>, n'est-ce
pas ?   □

<u>comme autrefois</u> = like in the past
<u>Des larmes lui viennent</u> (*venir*) <u>aux yeux</u> = Her eyes
tear up
<u>courses</u> = shopping
<u>Il est grand temps</u> = It's about time

© Nadi Lindsay from Pexels

--- GRAMMAR TIP---

Vite, rapide, rapidement...
Don't be too quick to use them

On page 108 and elsewhere, you can see *vite*,
a very commonly used adverb meaning "quickly."
Previously, on page 105, you could see both *rapide*
(an adjective, meaning "quick" or "fast") and *rapidement*
(another adverb to say "quickly").
As an adjective, *rapide* agrees with the subject in
the plural. For example: *Les trains sont très rapides
aujourd'hui.* = Trains are very fast nowadays.

Many French learners are confused with *vite*, and they
use it as an adjective instead of an adverb. We often hear
our students day: *Je ne suis pas vite quand j'écris
en français*, which literally means: "I'm not 'quickly'
when I write in French," while they should have said:
Je ne suis pas rapide quand j'écris en français. =
I'm not quick when I write in French.
However, one hears more and more young French people
using *vite* as an adjective (without agreement in
the plural, though): *Dis donc, ils sont vite
tes potes !* = Hey, they're quick, your buddies!

The adverbs *vite* and *rapidement* are almost synonyms,
but *vite* is more used to talk about something urgent:
Viens vite, on va rater le train ! = Come quickly,
we're going to miss the train!

QUESTIONS

1. Où sont Jean et Régine au début de l'histoire ?
2. Qu'est-ce que Jean explique à Régine ?
3. Où arrivent-ils ?
4. Qu'est-ce qui inquiète Régine ?
5. Que se passe-t-il à la fin de l'histoire ?

VRAI OU FAUX ?

1. Régine ne connaît pas Liane.
3. La maison se trouve dans un village.
4. Elle appartient aux héritiers du propriétaire.
2. Régine aime bien faire du jardinage.
5. Elle n'aime pas le café.

(Answers page 137)

12. COVID-29, 3ème partie

 Listen to the story, and read it out loud:

DEPUIS QU'ILS SE SONT ENFUIS ENSEMBLE de la résidence pour personnes âgées où ils ne supportaient plus les règles trop strictes de sécurité, dues à la pandémie de Covid-29, Régine et Jean vivent des jours tranquilles dans une maison qui leur a été prêtée par le maire du village.

Ils sont comme un couple. Enfin, pas vraiment. Régine savait déjà depuis longtemps que Jean préfère les hommes. Il avait été très sincère avec elle, et Régine avait d'autant plus d'amitié et de respect pour lui.

Depuis qu'ils se sont enfuis (passé composé of *s'enfuir*) ensemble = Since they fled together
ils ne supportaient (imperfect of *supporter*) plus = they couldn't stand any longer
Enfin, pas vraiment = Well, not exactly; *enfin* usually means "finally"
d'autant plus = all the more

On commence à parler de déconfinement progressif, comme après chaque attaque de virus, mais pour l'instant Régine et Jean ne ressentent pas le besoin de sortir. La maison est assez grande, et surtout le jardin. Ils passent entre deux à trois heures par jour à défricher, couper, planter.

On commence (*commencer*) à parler = One (in the news, in this context) is starting to talk
déconfinement = the end of confinement (see page 119)
pour l'instant = for the time being
ne ressentent (*ressentir*) pas le besoin = do not feel the need
défricher = to clear the ground (in the garden)

Le soir, il s'amusent avec Sam, le chien que Liane, la fille de Jean, leur a amené un jour et qui leur fait des câlins tandis qu'ils lisent, confortablement installés, Jean sur le grand fauteuil, Régine sur le canapé. Ils ont la chance qu'il y ait une bibliothèque très garnie dans la maison. Ils passent des heures à parler de leurs lectures.

---

leur a amené (passé composé of *amener*) = brought to them
câlins = cuddles
tandis qu' (*que*) = while
fauteuil = arm chair
canapé = sofa
garnie = well stocked

Le matin, c'est toujours Jean qui prépare le café. Comme le faisait Greg autrefois, se souvient Régine en pensant à son seul grand amour, l'homme <u>avec lequel elle a pourtant vécu le moins longtemps</u>. <u>Elle n'avait jamais voulu beaucoup parler de lui</u> à Jean, elle avait seulement précisé qu'il lui faisait un très bon café.

<u>avec lequel elle a pourtant vécu</u> (passé composé of *vivre*) <u>le moins longtemps</u> = with whom, however, she lived for the shortest time
<u>Elle n'avait jamais voulu</u> (past perfect of *vouloir*) <u>beaucoup parler de lui</u> = she had never wanted to talk a lot about him

---

© DR

– Je ne peux pas remplacer Greg, mais je peux te préparer ton café chaque matin, avait répondu Jean.

Ce matin-là, alors qu'ils lisent des journaux sur internet, une info les fait sursauter.

> Ce matin-là, alors qu' (*que*) = That morning, while
> une info (*information*) = a news report
> sursauter = to jump with surprise

"Tragique incendie en plein milieu de la nuit dans une résidence pour personnes âgées. Il n'y a aucun survivant..." Ils vérifient l'adresse, et se regardent, atterrés : c'est bien de leur ancienne résidence qu'il s'agit !

> incendie = fire
> atterrés = dismayed, distressed
> il s'agit (*s'agir de*) = it is about

Ils n'y avaient plus pensé depuis qu'ils étaient arrivés à faire comprendre à l'administrateur qu'ils ne reviendraient jamais, et qu'ils avaient cessé de payer leurs loyers. Et ils n'avaient pas d'attachement spécial pour les autres résidents. Mais savoir que tous étaient morts dans ces effroyables conditions est un choc.

> ils ne reviendraient (conditional of *revenir*) jamais = they would never come back
> loyers = rent
> effroyables = dreadful, horrifying

A cultural note

Confinement, déconfinement, reconfinement...

The French are very good at transforming old words or inventing new ones that will best fit a new situation. An excellent example was the language invented as soon as it seemed obvious that to avoid getting the Covid-19 virus the best solution to protect oneself was to remain locked down at home. Immediately the word *confinement* was used, as was the case in English even if lockdown appeared more frequently. However, the meaning of *confinement* in French was slightly different before the coronavirus: It was mainly used to talk about sick people who had to stay in their room, or about chicken gathered in the same place together during a pandemic of avian flu, or about the storage of radioactive materials or the isolation of prisoners... As soon as the rules were relaxed after the number of cases had declined in France, the word *déconfinement*, that you can read on pages 116 and 120, was automatically adopted by everybody (including the members of the French Government) to talk about the end of the *confinement* period. Previously, this word had never been used for something other than for talking about very specific scientific reactions, and it was even absent from dictionaries. And then, when a new wave of the virus struck, the word *reconfinement* made its appearance, quite naturally.

Also interesting was the discussions about Covid-19: Was it masculine or feminine? The head of the French Academy decided it was feminine long after everybody had been using it as a masculine word. Most French people, the media, and officials, still say *le Covid-19*...

– On ne leur a même pas dit au revoir, dit Régine, en <u>sanglo-tant</u>.

– Si on était restés là-bas, on n'aurait pas eu le temps de leur dire au revoir, commente Jean, pragmatique.

Lui aussi est <u>profondément</u> affecté, pourtant. Il leur faudra du temps pour <u>s'en remettre</u> et accepter <u>l'évidence</u>.

> <u>sanglotant</u> = sobbing
> <u>profondément</u> = deeply
> <u>s'en remettre</u> = to get over it
> <u>l'évidence</u> = the truth, the reality (see page 121)

Régine <u>a tenu à aller à l'enterrement</u>. <u>Comme pour s'excuser</u> de ne pas être avec eux, elle veut <u>rendre hommage</u> à ses anciens <u>compagnons de misère</u>. C'est leur première sortie depuis leur fuite. La pandémie est finie, <u>le déconfinement officiel</u>, tout est <u>rouvert</u>.

> <u>a tenu</u> (passé composé of *tenir*) <u>à aller à l'enterre-ment</u> = wanted, was keen to go to the funeral
> <u>Comme pour s'excuser</u> = As though she wanted to excuse herself
> <u>rendre hommage</u> = to pay tribute
> <u>compagnons de misère</u> = comrades in misery
> <u>le déconfinement officiel</u> = the end of the confinement (has been) officially declared (see page 119)
> <u>rouvert</u> = open again

VOCABULARY

Évidence, a not so obvious word

The French word *évidence* that you can read on page 120,
looks similar to the English "evidence,"
but the meaning isn't exactly the same.
Accepter l'évidence means: to accept the reality as it is,
its obviousness. Another common
expression, *se rendre à l'évidence*, can be translated
by "to acknowledge," "to recognize," "to admit,"
"to face reality," depending on the context.

Note that the adjective *évident(e)* is mainly translated
by "obvious." But the French use it a lot in the expression
C'est pas évident, which may mean "It's not obvious,"
but also has several different meanings: "It's not easy,"
"It's hard," "It'll be difficult," "It's a challenge..."

Most of the time, you cannot translate the English word
"evidence" by *évidence* in French, especially in legal
language. The best translations are *preuve(s)*, *indice*:
La preuve du crime est flagrante. =
The evidence of the crime is damning.
Certains indices donnés par les voisins sont troublants. =
Some evidence given by the neighbors is disturbing.

Note that the adverb *évidemment*, as on pages 59 and 84,
means either "of course," or "obviously."

Après la cérémonie, Régine <u>entraîne Jean</u> dans une autre partie du cimetière. Elle s'arrête devant une tombe. L'inscription est <u>ternie</u> mais on peut encore lire ces simples mots : "À toi Gregory, l'amour de ma vie".

> <u>entraîne</u> (entraîner) <u>Jean</u> = takes Jean (to follow her)
> <u>ternie</u> = faded

– <u>Je crois</u> que maintenant <u>j'aimerais te parler de lui</u>, dit-elle après un long silence.
– Alors <u>il faut</u> un décor approprié. <u>Viens</u>, je t'emmène dîner dans un restaurant où j'aimais aller, <u>il y a si longtemps</u>. Et on va commencer par une coupe de champagne, pour célébrer la vie.

□

> <u>Je crois</u> (*croire*) = I think; quite often in French *croire* (to believe) is used as a synonym of *penser* (to think)
> <u>j'aimerais</u> (conditional of *aimer*) <u>te parler de lui</u> = I would like to talk to you (Jean) about him (Gregory)
> <u>Il faut</u> (*falloir*) = It's necessary (to have)
> <u>Viens</u> (imperative of *venir*) = Come
> <u>il y a si longtemps</u> = so long ago

QUESTIONS

1. De quoi commence-t-on à parler à propos du virus au début de l'histoire ?
2. Qui est Sam ?
3. Quel est l'événement qui bouleverse Régine et Jean ?
4. Où Régine entraîne-t-elle Jean, et pourquoi ?
5. Que lui propose Jean à la fin de l'histoire ?

VRAI OU FAUX ?

1. Régine et Jean font du jardinage ensemble.
2. Ils aiment passer leurs soirées à lire.
3. C'est Greg qui prépare le café.
4. Régine et Jean vont à un enterrement.
5. Jean est l'amour de la vie de Régine.

(Answers page 138)

ANSWERS TO THE QUESTIONS

1. PAPARAZZI

(Questions page 23)

1. Une amie de la narratrice l'appelle car elle l'a vue sur la couverture de *Glamour* avec une personne célèbre.
2. Elle est très surprise parce que ce n'est pas elle qui est sur la couverture du magazine mais une femme qui lui ressemble.
3. Elle voit des photographes qui l'attendent devant chez elle.
4. Elle appelle d'abord sa copine, qui ne la croit pas, puis son ex pour qu'il l'aide à échapper aux paparazzi.
5. On comprend que son histoire était en réalité un cauchemar qui lui a fait très peur et l'a réveillée. Mais ce rêve lui a aussi rappelé de bons souvenirs avec son ex. Elle reste un peu au lit avant de se lever pour penser à lui, un peu fâchée que son mari se soit moqué d'elle.

Vrai ou faux ?

1. Faux.
2. Faux.
3. Vrai.
4. Vrai.
5. Faux.

2. COLOCATAIRES

(Questions page 33)

1. Francine est une femme âgée qui vit seule et qui adore imaginer des histoires qu'elle se raconte à elle-même.
2. Elle apprend que les personnes âgées peuvent héberger un étudiant chez elles en échange de petits services.
3. Arnaud est un de ces étudiants qui devient son colocataire. Elle l'a trouvé via un site internet.
4. Il lui demande s'il peut publier les histoires qu'elle lui raconte tous les soirs.
5. Elle est très heureuse de savoir que ses histoires vont être publiées, mais quand Arnaud lui demande si elle a des photos elle est très gênée et s'inquiète, car elle ne lui a pas dit que ses histoires sont imaginaires, et donc elle n'a évidemment pas de photos des personnages qu'elle a inventés.

Vrai ou faux ?

1. Faux.
2. Faux.
3. Vrai.
4. Vrai.
5. Faux.

3. QUAND LES LIVRES S'AMUSENT

(Questions page 44)

1. La narratrice a pris l'habitude de lire deux livres à la fois : un roman le soir, une biographie ou un essai en fin d'après-midi.

2. Elle parle d'un roman et d'une autobiographie qui concernent tous les deux une femme journaliste qui s'est vu confier des reportages incroyables. Dans les deux livres il y a un personnage masculin qui s'appelle Don.

3. Les deux histoires ont commencé à se mélanger, comme si les personnages s'amusaient à passer d'un livre à l'autre.

4. Un roman qui parle des habitants des pays Baltes pendant la Seconde Guerre mondiale, et un essai qui porte sur les conflits en ex-Yougoslavie au début des années 1990. Dans les deux livres le personnage principal est une jeune femme.

5. Les personnages continuent de jouer à cache-cache entre les deux livres mais la narratrice décide de ne plus s'inquiéter et les observe avec un sourire complice. Elle comprend très bien que leur vie serait trop monotone s'ils restaient enfermés dans une seule histoire.

Vrai ou faux ?

1. Faux.
2. Vrai.
3. Faux.
4. Vrai.
5. Vrai.

4. BIG BROTHER

(Questions page 52)

1. Le mari de la narratrice voulait se renseigner sur des croisières de 3-4 jours.
2. Ils ont découvert que la narratrice recevait des pubs de croisières sur son ordinateur, et pourtant elle n'avait pas fait ces recherches elle-même.
3. Ils ont dîné avec leurs enfants pendant le week-end.
4. Marc a trouvé sur sa page Facebook des chaussures de la même marque que celles achetées par David, et pourtant il l'avait seulement accompagné dans le magasin et n'avait rien acheté lui-même.
5. Julie rêve de partir dans une île déserte où il n'y aurait pas internet.

Vrai ou faux ?

1. Vrai.
2. Faux.
3. Vrai.
4. Vrai.
5. Faux.

5. UNE GASTRONOME

(Questions page 61)

1. La narratrice a invité sa mère en Californie pour qu'elle assiste au mariage de sa fille.
2. La mère veut amener sa chienne, Nobel, avec elle.
3. La fille de la narratrice va chercher sa grand-mère en France.
4. L'arrivée à l'aéroport a été remarquée car la chienne aboyait très fort.
5. La chienne refuse de manger le hamburger du McDonalds préparé spécialement pour elle ; la narratrice et sa fille doivent aller dans un supermarché acheter de la viande hachée de bonne qualité, que la chienne dévore très vite.

Vrai ou faux ?

1. Vrai.
2. Faux.
3. Faux.
4. Vrai.
5. Faux.

6. VICTOR HUGO HABITE CHEZ MOI

(Questions page 72)

1. Cet histoire se passe dans un appartement. Un nouveau tableau, un portrait de Victor Hugo, vient d'être accroché au mur.
2. Les tableaux sont honorés d'être exposés près de lui, ils sont très intimidés et se tiennent bien droits, pour paraître plus dignes.
3. Victor Hugo est très gentil, humain, tolérant. Il va régulièrement visiter les autres tableaux.
4. Il préfère un dessin qui est dans la chambre. C'est le portrait d'une femme.
5. Victor Hugo dit des mots d'amour à cette femme mais elle ne s'intéresse pas du tout à lui, ne répond pas quand il lui parle et ne le regarde même pas. Déçu, il retourne dans son cadre.

Vrai ou faux ?

1. Vrai.
2. Faux.
3. Vrai.
4. Faux.
5. Vrai.

7. UNE LETTRE MANUSCRITE

(Questions page 81)

1. Marie est au chômage parce que l'agence de voyage pour laquelle elle travaille est fermée à cause du Covid-19.
2. La lettre lui annonce que son père est mort.
3. Son ex-copine Nadia vient la rejoindre.
4. La relation est très mauvaise, sa mère ne parle plus à Marie depuis qu'elle a fait son coming out.
5. Le lendemain elle téléphone au notaire qui lui apprend que son père lui a laissé un bel héritage.

Vrai ou faux ?

1. Faux.
2. Vrai.
3. Faux.
4. Faux.
5. Vrai.

8. MACHINES INFERNALES

(Questions page 89)

1. La narratrice veut faire de la gym pour avoir la forme.
2. En voulant ramasser sa veste de jogging qui était tombée pendant qu'elle utilisait le tapis de course pour marcher, elle a fait une chute violente.
3. Elle pense que la machine la déteste et a fait exprès de l'expulser parce qu'elle a compris qu'elle ne l'aimait pas.
4. Elle avait commencé à sortir avec un homme sympa mais elle a découvert peu après qu'il était haltérophile et aimait faire de la gym.
5. Elle s'est mariée à un homme qui ne pratique pas de sport et qui aime les chiens autant qu'elle. Ils se promènent ensemble à la campagne, et ainsi elle garde la forme.

Vrai ou faux ?

1. Faux.
2. Vrai.
3. Vrai.
4. Vrai.
5. Faux.

9. MON MAI 68

(Questions page 98)

1. L'histoire se situe à l'époque des révoltes de Mai 68.
2. La narratrice s'enfuit pour ne pas être attrapée par des policiers.
3. Elle entre dans une maison de passe.
4. Les femmes lui disent qu'elles regrettent de ne pas avoir pu suivre d'études et s'inquiètent que la narratrice mette en danger ses études en manifestant.
5. Cette nuit-là un commissaire de police a été tué par un camion qui reculait sur un pont. Le camion avait été poussé par des étudiants qui ne savaient pas que le commissaire se trouvait derrière.

Vrai ou faux ?

1. Vrai.
2. Faux.
3. Faux.
4. Vrai.
5. Faux.

10. COVID-29, 1ère partie

(Questions page 106)

1. Régine est dans une résidence de personnes âgées. Une épidémie de Covid-29 oblige les résidents à rester confinés dans leur chambre ou petit appartement.
2. Régine regrette de ne pas pouvoir sortir.
3. Personne ne vient la voir, sauf une femme, membre du personnel, habillée comme une astronaute.
4. Elle a l'idée de s'enfuir, de quitter définitivement la résidence.
5. Elle arrive à s'échapper après avoir prétendu s'être tordu le pied. Dehors, à la grille extérieure, elle retrouve son ami Jean qui s'enfuit lui aussi.

Vrai ou faux ?

1. Faux.
2. Vrai.
3. Faux.
4. Vrai.
5. Faux.

11. COVID-29, 2ème partie

(Questions page 114)

1. Jean et Régine sont dans la voiture de Liane, la fille de Jean.
2. Jean explique à Régine comment il a fait pour s'échapper lui aussi de la résidence de retraite.
3. Ils arrivent dans une maison individuelle, que le maire a confié à Liane car elle n'a plus de propriétaire.
4. Régine a peur qu'on les retrouve à cause de leurs téléphones.
5. À la fin de l'histoire, Jean invite Régine à prendre un café, ce qui lui fait verser des larmes d'émotion car cela lui rappelle un souvenir.

Vrai ou faux ?

1. Vrai.
2. Vrai.
3. Faux.
4. Vrai.
5. Faux.

12. COVID-29, 3ème partie

(Questions page 123)

1. On commence à parler du déconfinement.
2. Sam est un chien que leur a amené Liane, la fille de Jean.
3. Régine et Jean apprennent qu'un incendie a détruit la résidence pour personnes âgées où ils habitaient avant, et que tous les résidents sont morts.
4. Après l'enterrement, Régine entraîne Jean dans une autre partie du cimetière, sur la tombe de Gregory, qui avait été son grand amour autrefois.
5. Jean propose à Régine d'aller dîner dans un bon restaurant, et de commencer par une coupe de champagne pour célébrer la vie.

Vrai ou faux ?

1. Vrai.
2. Vrai.
3. Faux.
4. Vrai.
5. Faux.

Learn French at Home, created in 2004 by Céline Van Loan and Vincent Anthonioz, has helped thousands of French learners, each with very different learning goals. The main ingredient of our success lies in our team of professional and friendly native French teachers who take the time to personalize every single lesson according to the student's personal and professional goals. Our main purpose is to deliver true quality service to each student. Since the lessons take place in the student's home or workplace, it doesn't matter where you live. The teachers are located in Europe and in North, Central and South America.

Every lesson is given on Skype. Whether you need to learn the language to prepare for your upcoming trip to a French speaking country, or whether you need it to work on any professional objectives, or you simply wish to enjoy communicating in French, you'll find the appropriate program on our website.

During the session on Skype, the teacher privileges that time to stimulate the learner to speak in French, and explains grammatical points. You'll get real practice as though you were traveling or living in France!

Every student will receive a copy of free our e-magazine every 2 months: Our *French Accent Magazine* offers great insights about French culture, life in France, grammar, French artists, politics, and so on. We create in-house material and we constantly publish new books with up-to-date French language, like this one. Check our website !

www.learnfrenchathome.com

How to access the eBook version with audio

The e-Book version will give you access to the audio files: in each chapter the audio link will enable you to listen to, and repeat, the full short story.

Another advantage is that while consulting it you can enlarge the text (to 125%, 150% or more). Also, if you read it from a computer, when searching for a word it's very easy to find it by typing "Control F" on your keyboard.

Here is the link for a free copy of the eBook version:
www.learnfrenchathome.com/magazine/st5/
French_Short_Stories_Nr5_ebook.pdf

You can also access the audio files for the following pages on the link below:
www.frenchaccentmagazine.com/st5/audio.html

About the author

Annick Stevenson is a French journalist, writer and translator. For some 25 years, she was an international journalist and magazine editor for the United Nations.

She has published and translated several books, and she is the author or co-author of all the publications of Learn French at Home (see page 2).

Her latest book:

Seulement une question de temps ; ce qu'il reste des souvenirs de tous les coins du monde (original French version)
Only a Matter of Time; The Remnants of Memories from the Four Quarters of the World (translation Roger Stevenson).
Paperback, hard cover and Kindle versions, KDP/Amazon, 2021.

She is also the editor of our free *French Accent magazine*:
www.learnfrenchathome.com/french-accent-magazine

Made in the USA
Middletown, DE
22 January 2022

59375575R00084